Grâce à l'Amour
d'un Chat

*L'émouvante histoire vraie d'une amitié
entre un chat et un petit garçon autiste*

LOUISE BOOTH

Grâce à l'Amour d'un Chat

*L'émouvante histoire vraie d'une amitié
entre un chat et un petit garçon autiste*

Traduit de l'anglais par Evelyne Châtelain

ÉDITIONS FRANCE LOISIRS

Édition du Club France Loisirs,
avec l'autorisation de City Editions.

Éditions France Loisirs,
123, boulevard de Grenelle, Paris
www.franceloisirs.com

ISBN : 978-2-298-10361-8

À Chris..., mon premier,
mon dernier, mon tout...
À Fraser et à Pippa,
mes deux étoiles...

Je sais que, quelque part, quelqu'un affronte les mêmes énormités que moi, il y a cinq ans : le désespoir et l'isolement auxquels j'ai dû faire face après avoir donné naissance à Fraser, en mars 2008. Ce livre est écrit pour cette personne. Je veux l'aider à voir qu'au bout de ce qui ressemble parfois à un long tunnel noir, il reste de l'espoir. Vous pouvez arriver de l'autre côté, je vous le promets.

1

Billy et Bear

Lors d'une belle soirée de 2011, nous roulions vers l'est le long du Dee, dans un paysage des Highlands digne d'une carte postale. Au loin, le Lochnagar, plus haut sommet de la région, qui baignait dans une splendide lueur dorée, semblait danser sur les eaux noires dans une myriade de couleurs.

De temps en temps, on apercevait un pêcheur qui, dans l'eau jusqu'aux genoux, lançait sa ligne dans l'espoir d'attraper une truite ou un saumon. À l'époque, je n'y avais pas pensé, mais, avec le recul, je m'aperçois que, moi aussi, j'allais à la pêche, d'une certaine manière. Que disait le vieux proverbe ? Qu'il fallait savoir sacrifier sa mouche pour attraper une truite ?

Chris, mon mari, était au volant, et nos deux enfants, à l'arrière. Notre fille, Pippa, qui venait de fêter ses six mois, dormait profondément dans son siège-auto. Comme d'habitude, c'était Fraser, notre fils de trois ans, qui nous inquiétait. Tranquille, parlant très peu, il observait intensément les deux petites photographies qu'il avait emportées. On ne savait pas trop à quoi s'attendre ce soir-là. Mais avec Fraser, c'était toujours le cas.

L'autisme avait été diagnostiqué deux ans plus tôt, en août 2009, alors qu'il avait à peine dix-huit mois. Comme la plupart des garçons souffrant de cette affection, il avait du mal à communiquer et avait tendance à s'isoler dans son propre monde. Il était également capable de tempêtes émotionnelles pour des motifs parfois insignifiants. De plus, il souffrait d'hypotonie, une faiblesse musculaire très rare, si bien que ses articulations étaient lâches et flexibles.

Il éprouvait de graves difficultés pour exécuter les gestes les plus simples comme attraper un objet. Pour lui, c'était une véritable épreuve de se tenir debout, sans parler de marcher. En fait, il n'avait gagné une certaine autonomie que depuis un an, grâce à des orthèses qui lui maintenaient les chevilles et les mollets.

Depuis un an et demi, Fraser bénéficiait des soins d'une petite équipe de spécialistes, dont un orthophoniste et un ergonome. On nous avait annoncé très clairement qu'il ne pourrait jamais suivre l'enseignement d'une école normale. Néanmoins, nous avions fini par lui trouver une maternelle privée qui avait accepté de le prendre deux fois par semaine, ce qui avait été un grand soulagement, pour moi en particulier. La mauvaise nouvelle, cependant, c'était que ses humeurs et ses comportements restaient hautement imprévisibles et versatiles. Par conséquent, nos vies n'étaient jamais réglées d'avance.

Petit garçon adorable à la personnalité très attachante, Fraser semblait faire fondre le cœur de tous ceux qui le rencontraient. Pourtant, ce serait mentir de dire que la vie en commun était un lit de roses, car c'était loin d'être le cas. Nous avions traversé des épreuves extrêmement difficiles et éprouvantes. Nous ne savions jamais vraiment à quoi nous attendre ni ce que nous devions faire, surtout lorsqu'il nous arrivait de modifier la routine, comme ce jour-là. Nous ne pouvions que suivre notre instinct. C'est pourquoi nous marchions sur des œufs en longeant la vallée du Dee pour nous rendre à Aboyne, où nous devions rencontrer la présidente de la section locale de la Cats Protection (société protectrice des chats).

J'avais toujours aimé les animaux. Petite fille, je jouais avec les lapins, les chiens, les chats, les chevaux, peu m'importait. Ce jour-là, j'avais regardé avec envie les terres du Royal Deeside Estates, où l'on pouvait pratiquer l'équitation, sport que j'adorais dans ma jeunesse et qui me manquait terriblement depuis que j'étais maman à plein temps.

Pour le moment, notre seul animal domestique était un chat tigré bedonnant et vieillissant appelé Toby, que nous avions recueilli plus de dix ans avant la naissance de Fraser et Pippa. C'était ce bon vieux Toby qui m'avait fait penser à cette expédition dans l'inconnu.

Toby faisait partie des meubles. Se promenant dans toute la maison, il se concentrait sur ses deux activités favorites : manger et dormir.

Pendant la plus grande partie de sa jeune vie, Fraser ne s'était guère occupé de son environnement. Il était obsédé par tous les objets qui possédaient des roues ou tournaient et passait des heures à observer la machine à laver, à jouer avec un vieux tourne-disque ou à faire tourner les roues de ses petites voitures, mais, en dehors de cela, rien ne semblait l'attirer. Récemment, j'avais remarqué qu'il commençait à être fasciné par Toby. Il se couchait près de lui pendant qu'il faisait la sieste, posait sa tête sur le tapis pour pouvoir le caresser et communiquer avec lui.

Toby ne partageait pas cette nouvelle affection. Pendant un moment, il toléra cette intrusion dans son espace vital, mais il se méfiait de plus en plus de Fraser, surtout lorsqu'il était en crise. À plusieurs reprises, Fraser s'était mis à hurler, parce qu'il était survenu un minuscule changement dans la routine de la maison, et Toby s'était enfui au grand galop pour se réfugier à l'étage.

Depuis, il avait visiblement peur de Fraser et restait à l'écart. Parfois, il s'enfuyait dès que Fraser apparaissait dans son champ de vision.

Je n'étais pas très surprise par cette réaction. Toby n'était guère l'animal idéal pour Fraser, mais cette nouvelle attitude m'avait incitée à réfléchir.

En tant que mère d'un enfant autiste, je savais devoir saisir toutes les occasions et toutes les ouvertures qui s'offraient à moi. Elles étaient rares et très espacées, d'autant plus que nous vivions dans une maison isolée appartenant au domaine de la reine, près des terres de Balmoral où Chris travaillait.

Nous n'avions aucun voisin et, pendant longtemps, nous ne pouvions pas nous joindre à des groupes de jeunes enfants, car Fraser réagissait étrangement en présence des autres. Son absence d'aptitudes sociales me préoccupait, mais, en voyant Fraser avec Toby, je me demandais si un animal domestique ne pourrait pas avoir une influence positive sur lui. Les interactions restaient des interactions, même si les échanges se passaient avec un chat, et non un être humain.

— Je pense qu'il aimerait avoir un ami. Cela l'aiderait peut-être à sortir de lui-même, dis-je à Chris, un soir au dîner. Pourquoi n'essaierait-on pas de trouver un jeune chat avec lequel il pourrait s'entendre ?

Nous en avions déjà tellement bavé avec Fraser que Chris, qui est un être très logique et rationnel, vit immédiatement les problèmes.

— Tu en es sûre ? Tu ne crois pas que le chat prendrait peur, tout comme Toby ?

— Qu'est-ce qu'on a à perdre ? Si on va chercher un chat à la SPA, on pourra expliquer la situation, et ils accepteront sûrement de le reprendre si cela ne fonctionne pas.

— Oui, j'imagine, dit Chris, toujours pas convaincu.

Le lendemain, j'envoyai un courriel à une société de protection des chats, par l'intermédiaire de leur site Internet. J'expliquai que Fraser était autiste et souffrait d'une affection musculaire qui l'immobilisait, et que nous cherchions un animal domestique adapté qui pourrait devenir son ami. Ce fut exactement ce que j'écrivis : *un animal adapté*. Je n'étais pourtant pas certaine qu'une telle créature existe.

Au début, je n'obtins aucune réponse. Je me demandais même si on n'avait pas écarté ma demande en me prenant pour une folle qui demandait un animal adapté pour son enfant peu adapté.

Il s'avéra que mon message avait été mal dirigé. Un beau matin, je reçus un appel me suggérant de contacter la section des amis des chats de la vallée du Dee qui, par un heureux hasard, venait d'ouvrir six mois plus tôt.

J'envoyai un autre courriel et fus aussitôt contactée par la présidente, une dame appelée Liz qui vivait à une vingtaine de minutes de chez nous, en banlieue d'Aboyne.

Elle comprit tout de suite notre problème.

— J'ai un ou deux chats qui pourraient correspondre à ce que vous cherchez. Mais j'ai comme l'impression que je vais vous trouver le bon. Je vais vous envoyer une photographie et quelques détails.

Presque aussitôt, je reçus les photographies de deux chats qui se ressemblaient comme deux gouttes d'eau. Tous les deux gris, ils avaient des airs de persan et des marques blanches sur la tête et le ventre. Ils semblaient jeunes et plutôt maigrichons, presque faméliques, ce que je compris mieux en lisant les notes que Liz m'avait fournies.

Elle expliquait qu'on les avait trouvés dans un logement social d'un village proche, dont les occupants s'étaient enfuis sans laisser d'adresse. La ville avait voulu condamner portes et fenêtres, mais un des voisins avait signalé que des chats vivaient à l'intérieur. Heureusement que ce voisin avait parlé à temps, car, lorsque les ouvriers entrèrent à nouveau, ils découvrirent quatre petits chats émaciés qui se nourrissaient des restes trouvés dans la maison. Ils seraient certainement morts de faim sans cette intervention. La SPA avait récupéré les quatre petits chats. L'un d'entre eux, un grand mâle noir, avait été adopté rapidement, mais l'autre chat et ses petits frères, Bear et Billy, furent plus difficiles à placer.

À la vue de ces photographies, rien ne montrait pour quelle raison Liz était si convaincue que l'un de ces chats nous conviendrait, mais j'étais prêt à lui faire confiance et à prendre le risque. Je lui demandai si on pouvait organiser une rencontre pour que Fraser puisse faire la connaissance de Billy et Bear, et elle proposa un rendez-vous, une semaine plus tard, à Aboyne.

D'expérience, je savais que Fraser acceptait mal les changements brutaux et inattendus dans sa routine quotidienne, si bien que je devais en amont préparer cette visite et surtout l'arrivée d'un nouvel occupant dans la maison.

Un matin au petit-déjeuner, je mis les choses en branle.

— Fraser, cela te plairait d'avoir un petit chat à toi, avec lequel tu pourrais jouer ?

Il m'observa un instant d'un air studieux et hocha la tête.

— Oh oui, maman ! dit-il.

Par moments, obtenir une seule syllabe de Fraser était une véritable prouesse ; alors, trois mots à la fois, c'était un exploit. Encouragée par ce succès, je continuai. Comme il n'avait pas toujours le niveau de compréhension nécessaire, nous avions pris l'habitude d'utiliser des images pour l'aider à se représenter les choses. J'imprimai donc immédiatement des petits tirages de la taille de boîtes d'allumettes de Bear et Billy pour qu'il puisse voir ses nouveaux amis potentiels et faire son choix.

De nouveau, ses réactions furent encourageantes. Il emportait les photos tous les soirs et les posait soigneusement sur sa table de nuit. Il passait des heures à les regarder. Dieu seul savait quelles pensées lui traversaient l'esprit pendant qu'il examinait encore et encore les images de ces deux chats parfaitement identiques.

Identiques à mes yeux, en fait, mais lui sut aussitôt faire la distinction. Pour moi, ils se ressemblaient tant que je devais écrire leur nom au dos du papier pour les reconnaître, mais Fraser savait tout de suite et ne cessait de répéter :

— Lui, c'est Billy, et lui, c'est Bear.

L'autisme revêt parfois des visages complexes : Fraser était presque incapable de marcher et de communiquer, mais il voyait immédiatement la différence entre ces jumeaux de chats.

Avec le premier objectif en tête, je commençai à le préparer à notre expédition à Aboyne.

Ce n'était pas une mince affaire, car nous n'étions jamais allés dans la maison d'un inconnu auparavant. Fraser éprouvait tant d'appréhension dans un nouvel environnement que cela déclenchait souvent des crises de panique. Même lorsqu'il se sentait heureux, il trouvait toujours quelque chose qui l'horripilait et nous rendait la vie impossible. Nous évitions donc d'aller voir des inconnus avec lui depuis qu'il était bébé. Les seuls endroits où l'on pouvait l'emmener en toute confiance, c'était chez ses grands-parents : la maman de Chris et son compagnon qui vivaient sur la côte nord-est de l'Écosse, et mon père et ma mère qui vivaient dans l'Essex.

Au bout d'une semaine de préparation, je me sentais confiante et pensais que Fraser comprenait ce qui allait arriver. On allait rendre visite aux deux petits chats, et, s'il le voulait, l'un d'eux viendrait vivre avec nous.

Dernière précaution pour éviter le drame, nous lui avions dit que nous partirions un vendredi, après le travail de Chris, qui terminait souvent après le déjeuner en fin de semaine. Nous voulions qu'il accepte le changement de la routine de l'après-midi.

Finalement, on partit un peu plus tard que prévu, et le soleil plongeait déjà derrière les montagnes lorsqu'on traversa le Dee à Ballater, avant d'arriver à Aboyne.

Dans la voiture, mes pensées se bousculaient. Il n'y avait rien d'anormal à cela. Parfois, je me demandais si je n'étais pas la mère la plus névrosée du monde. En vérité, en tant que parent d'autiste, j'avais en permanence de bonnes raisons de m'inquiéter. Ce soir, la liste des soucis était aussi longue que le fleuve Dee. Et s'il n'aimait pas Liz et qu'elle lui fasse peur ? Et s'il n'aimait pas sa maison ? Si le bruit le dérangeait ? Et s'il n'aimait pas les chats ? Je ne savais pas si les chats vivaient à l'intérieur ou à l'extérieur. Comment réagirait-il en voyant un chat en cage ? Dans son esprit, les chats, comme Toby, étaient libres d'aller à leur guise, comme bon leur semblait. Comment supporterait-il de voir un chat enfermé ? Et s'il ne voulait plus rien savoir et refusait de sortir de la voiture, ce qui était parfaitement possible, probable même ? Souvent, une fois arrivé à destination, Fraser agitait les bras et hurlait « Non, non, non ! » Nous étions obligés de faire demi-tour et de rentrer à la maison. Allait-ce se reproduire ? Tant de questions se bousculaient dans ma tête… Grâce à Dieu, le magnifique paysage des Highlands m'offrait une agréable distraction.

Les ambres du couchant disparaissaient derrière les montagnes au moment où on arriva devant chez Liz. Lorsque Chris s'arrêta, Fraser se redressa et tendit le cou pour observer la scène.

— Maman, c'est là que les chats habitent ? demanda Fraser.

Je regardai Chris sans avoir à prononcer un mot. C'était l'une des phrases les plus longues et les plus cohérentes que Fraser ait jamais prononcées.

— Oui, Fraser.

Pendant que Chris se garait, je me penchai vers Pippa. Par bien des côtés, elle était l'exact opposé de Fraser. Voyager avec son frère était toujours une épreuve, mais avec elle, c'était du gâteau, comme elle nous le prouvait à nouveau. Elle dormait toujours tranquillement dans son siège, si bien qu'on décida de la laisser là pendant ce qui devrait être, à mon avis, une très courte visite. On était garés devant la maison, et nous ne serions pas très loin.

On n'avait pas plus tôt fait descendre Fraser que Liz apparut sur le pas de la porte et nous salua. On avait échangé plusieurs courriels au cours de la semaine, et il était évident qu'elle était bien préparée, car elle alla droit au but :

— Bonjour, tu dois être Fraser. Tu es venu voir les chats ?

Je retins mon souffle un instant. La plupart du temps, Fraser ne communiquait pas avec les gens qu'il n'avait encore jamais rencontrés. S'il se sentait mal à l'aise ou inquiet, il refusait tout contact oculaire et faisait son possible pour se soustraire à l'intrusion indésirable dans son monde. Rien de tel ne se produisit.

— Oui, merci, dit-il en regardant Liz dans les yeux.

De toute évidence, il se sentait concerné. Il ne détournait pas les yeux, ne semblait pas indifférent. Il avait toujours la photo des deux chats dans sa main. Chris et moi échangeâmes un regard. Nous n'avions pas besoin de parler. Nous savions qu'il se passait quelque chose d'inhabituel.

Liz nous expliqua que les chats étaient à l'extérieur dans un enclos fermé, ce qui n'était que la moitié d'une bonne nouvelle. D'un côté, je n'avais plus à m'inquiéter que Fraser ne repère un lave-linge ou un grille-pain qui l'hypnotise au point qu'il en oublie les chats, de l'autre, je me demandais comment il allait réagir en voyant les chats dans un enclos. À la maison, Toby pouvait aller et venir librement. C'était le genre de détail qui n'aurait pas choqué 99,99 % des enfants, mais Fraser ne faisait pas partie de ces 99,99 % !

Mon inquiétude fut de courte durée. Liz nous conduisit vers deux vastes enclos entourés de grillage. L'un était vide, l'autre était occupé par les deux chats des photographies, Bear et Billy. Ils se ressemblaient encore plus en chair et en os, et je n'arrivais vraiment pas à les distinguer.

— Maintenant, je vais entrer dans l'enclos, tu veux bien, Fraser ?

Il hocha la tête, comme hypnotisé par les deux chats.

Pendant un petit moment, avec Chris, je restai près de Fraser et regardai l'enclos.

Les deux chats se trouvaient sur une plate-forme suré-levée. L'un dormait à moitié et nous tournait le dos, l'autre était assis bien droit et, intrigué, observait les nouveaux venus.

— C'est Bear, expliqua Liz en montrant le chat endormi. Et voici Billy.

À cet instant, le second chat sauta sur l'épaule de Liz pour en redescendre aussitôt avant de se diriger vers Fraser, qui se tenait toujours de l'autre côté du grillage. Fraser ne recula pas, au contraire. Il sourit, fasciné par ce qu'il voyait.

— Fraser, tu veux entrer et venir dire bonjour à Billy ?

— Oui, répondit-il. Maman, tu veux bien venir avec moi ?

De nouveau, j'échangeai avec Chris un regard qui en disait des tonnes. Pour d'autres parents, ce détail aurait semblé insignifiant, mais, pour nous, parents d'un enfant qui avait passé trois ans à avoir peur de tout, c'était enthousiasmant. Ce qui se produisit ensuite ne fut pas seulement enthousiasmant. Pour moi, c'était une révolution.

À l'intérieur de l'enclos, Fraser, fasciné, s'assit immédiatement sur le sol. En maman anxieuse, je pensai aussitôt : *Il y a des poils de chat partout. Pourvu qu'il ne fasse pas de crise d'asthme !* Pourtant, je n'eus pas le temps d'analyser les événements. Avant même que je puisse réagir, Billy s'était approché de Fraser, lui avait sauté sur les genoux et avait atterri contre sa poitrine.

Liz s'était bien occupée des chats depuis leur arrivée, car Billy était bien dodu. Ce mouvement fit un choc à Fraser, qui recula un peu sous le poids. Pendant un instant, il resta immobile, ne sachant comment réagir à ce geste. Dans des circonstances ordinaires, je me serais attendue à des hurlements épouvantables. Mais les circonstances n'avaient rien d'ordinaire. Il n'y eut aucun cri, aucune réaction hostile. Rien.

Instinctivement, Billy sembla comprendre que Fraser ne se sentait pas très à l'aise, si bien qu'il descendit de sa poitrine, ajusta sa position pour que son poids ne fasse plus pression et ne laissa que ses pattes avant sur Fraser. Il tendit le cou le plus possible pour approcher sa tête de celle de Fraser. Ils restèrent là, à se cajoler l'un l'autre, comme s'ils étaient seuls au monde.

J'étais abasourdie. En fait, j'arrivais à peine à en croire mes yeux.

— On dirait que Billy t'a déjà choisi, dit Liz, brisant le silence.

Liz, Chris et moi échangeâmes des sourires. De nouveau, personne ne ressentit le besoin de parler. Fraser et Billy restèrent ainsi quelques minutes, pour apprendre à se connaître, avant que Liz ne brise le silence :

— Fraser, tu as envie d'emmener Billy ?

— Oui, j'aimerais bien, répondit-il.

— Bon, je vais parler avec ta maman et ton papa, et on va arranger ça.

Elle les laissa encore quelques minutes avant que Chris ne dise qu'il devait aller voir Pippa dans la voiture.

— On doit rentrer bientôt, malheureusement, dis-je à Liz. Alors, comment doit-on procéder ?

— Je vais l'emmener chez le vétérinaire et le faire vacciner. Ensuite, il sera prêt pour partir.

— Nous devons déménager bientôt. Cela aura peut-être une influence sur la suite.

— On se rappelle lundi, d'accord ?

— Parfait, dis-je en espérant que tout se passerait pour le mieux.

J'avais peur que Fraser soit déçu que Billy ne vienne pas tout de suite avec nous, mais, lorsqu'on lui expliqua la situation, il l'accepta, comme tout le reste ce soir-là.

— Chris, à ton avis, Liz nous a crus, lorsqu'on lui a dit que Billy était autiste ? demandai-je sur le chemin du retour.

Il se mit à rire.

— Eh bien, à le voir ce soir, c'était impossible de deviner qu'il y avait un problème, poursuivit-il.

Comme d'habitude, nous étions prêts à faire demi-tour sans même pouvoir descendre de voiture. Cependant, Fraser n'avait eu aucun de ses comportements excessifs habituels. Il avait tout accepté : entrer dans la demeure d'un étranger, avoir un chat qui lui saute dessus. Dans le contexte de notre vie quotidienne avec Fraser, cela tenait du petit miracle. Notre intuition avait payé. Nous avions peut-être ferré notre première truite.

À l'aller, Fraser était resté à l'arrière, silencieux comme une souris, perdu dans ses pensées. Au retour, c'était un autre enfant, qui parlait d'un ton animé.

— Billy sera l'ami de Fraser, dit-il, à un moment, en montrant la photo.

— Oui, Fraser, répondis-je en captant son regard dans le rétroviseur.

— Billy sera le meilleur ami de Fraser, dit-il.

La vérité sort de la bouche des enfants. Aucun de nous ne pouvait encore comprendre l'importance capitale de ces simples mots.

2

L'arrivée
de Billy

Fraser et Billy furent réunis plus tôt que prévu. Nous devions attendre six semaines, jusqu'à début août, pour que Liz nous l'amène. À ce moment-là, nous aurions déménagé dans une maison plus moderne, à l'est de Balmoral, en bordure du domaine, à une dizaine de kilomètres de notre maison isolée.

Lors de notre conversation, le lundi qui avait suivi notre expédition à Aboyne, Liz m'avait conseillé d'attendre que nous soyons installés avant d'introduire Billy dans la famille, de peur qu'il n'ait du mal à s'adapter à deux nouveaux espaces en si peu de temps.

Étonnamment, Fraser supporta très bien la situation. Dans les jours qui suivirent notre visite à Billy et Bear, il avait manifesté beaucoup d'enthousiasme à l'idée de voir son nouvel ami arriver bientôt. Mais, avec Fraser, l'enthousiasme risquait de vite se transformer en angoisse. Nous avions appris d'expérience que, pour contrer ce phénomène, il fallait le rassurer au début de chaque journée. Tous les matins, donc, avant qu'il évoque le sujet, on lui rappelait ce que nous avions décidé.

— Oui, Billy viendra dans la nouvelle maison, se répétait-il souvent à lui-même.

Il gardait les photos de Billy et Bear près de son lit et les regardait le soir. Il semblait s'en contenter et se satisfaire de l'attente.

En fait, Liz dut accélérer les choses. Une dizaine de jours plus tard, elle m'appela. Au début, prise de panique, je pensais qu'il y avait un problème, mais elle attendait un nouvel arrivage de chats dans les jours suivants et se demandait si elle ne pouvait pas nous amener Billy plus tôt que prévu.

— Je crois qu'il pourra s'adapter. Il a une sacrée personnalité, comme vous avez pu le voir, dit-elle. J'aurai quelques papiers à remplir. Pourrais-je vous l'amener dans deux jours ?

— Bien sûr, dis-je.

Liz et Billy arrivèrent donc dans l'après-midi du 27 juin 2011. C'est un jour que je ne suis pas près d'oublier ! Fraser était à la maternelle, ce matin-là, si bien que Liz avait accepté de passer dans l'après-midi. Lorsque nous lui avions annoncé la venue de Billy, il avait été si heureux qu'il ne cessait d'en parler.

— Billy va arriver, Billy va arriver, ne cessait-il de scander.

D'habitude, lorsqu'il entendait un bruit de moteur inattendu ou si quelqu'un frappait inopinément à la porte, il partait en vrille. Parfois, il s'accroupissait dans la cuisine, les mains sur les oreilles, jusqu'à ce que le facteur ou l'intrus s'en aille. Cependant, ce jour-là, lorsqu'il entendit la voiture se garer, il s'approcha de la fenêtre.

— C'est Billy !

Liz apparut à la porte avec une cage en métal blanc. Il y avait un petit matelas de laine à l'intérieur, et un bâton d'osier glissait pour ouvrir le couvercle. Cela me rappelait une de nos voisines, lorsque j'étais enfant, qui élevait des chats siamois et les emmenait à des expositions dans tout le pays. Je passais des heures chez elle à jouer avec les portées de chatons et voyais souvent ces belles caisses de transport. Fasciné, Fraser essayait de voir Billy à l'intérieur de la cage.

— Billy est dans la cage ! Billy est dans la cage ! s'exclamait-il pendant que Liz entrait au salon et faisait glisser le bâton pour ouvrir la caisse.

— Billy aura sans doute envie de faire un petit tour pour explorer la maison lorsqu'il sortira, dis-je à Fraser.

Après tout, c'était un chat, et il voudrait certainement explorer son nouveau territoire.

Fraser était trop occupé à observer la cage où se trouvait son nouvel ami pour m'écouter.

Je revois toujours la suite dans mon esprit. On aurait dit que Billy avait vécu avec nous toute sa vie. Il se sentait chez lui. À peine Liz avait-elle ouvert le couvercle qu'il sauta hors de la caisse, fit un petit tour rapide du salon et se dirigea droit vers Fraser.

Liz et moi échangeâmes un regard lourd de signification. En quelques secondes, Fraser et Billy avaient établi la communication.

Tous deux avaient visiblement retenu la leçon de la première rencontre, car, cette fois, Fraser fit le premier pas et se pencha pour saluer son ami.

Il plaça sa tête si près que Billy commença à se frotter contre son visage. Quelques instants plus tard, ils étaient allongés sur le tapis, l'un à côté de l'autre, et se cajolaient mutuellement, comme à Aboyne.

C'était une belle après-midi d'été, et la lumière inondait la pièce, ce qui me permit de regarder Billy de plus près. C'était un chat très original. Son pelage épais d'un gris de cendre était éclairé par une marque blanche en « V » partant de la gueule et du museau et s'étirait entre les yeux. Il possédait une tache blanche sur la poitrine, et l'extrémité des pattes blanches faisait penser à de petites chaussettes.

Il avait aussi une étrange marque chair sur le nez et les pattes, comme s'il avait été égratigné, mais, à y regarder de plus près, on voyait que c'était naturel. Les poils n'avaient pas poussé à cet endroit. À la manière dont il se roulait par terre avec Fraser, il semblait encore très jeune et très joueur. Transfigurées, Liz et moi les regardions sans dire un mot. Nous comprenions qu'il se passait quelque chose de vraiment fantastique.

Au bout d'un moment, j'invitai Liz à boire le thé dans la cuisine pendant que je finirais de remplir les papiers. Nous étions encore plongées dans les divers formulaires lorsque je vis Billy qui arpentait le couloir, à l'extérieur de la cuisine.

Il avait fini par explorer les lieux et pointer son nez dans tous les entrebâillements de porte du couloir. La plus grande surprise qui l'attendait était Toby.

Mais, lorsque le senior de la gent féline apparut sur le palier, il n'y eut guère plus que quelques feulements et quelques crachats. Les chats se jaugèrent vite pour se consacrer à des choses plus intéressantes, un petit coin bien chaud dans la chambre où il pourrait se pelotonner et se consacrer à sa sieste, dans le cas de Toby. Billy, lui, poursuivit son exploration pendant un moment avant de vite retourner se blottir contre Fraser.

Pourtant, l'instant le plus mémorable de cette journée extraordinaire, dans mon esprit du moins, se produisit au moment du départ de Liz.

Malgré son autisme, Fraser n'est pas incapable d'émotion. Il a une personnalité très douce et peut se montrer chaleureux et affectueux. Il était simplement exceptionnel, surtout dans ses premières années, qu'il accepte un contact oculaire ou tactile avec une personne en dehors de la famille.

Lorsque Liz se prépara à partir, il s'approcha d'elle, la prit par la taille et lui dit :

— Merci.

Il n'avait jamais touché des inconnus auparavant, n'avait jamais manifesté le moindre intérêt pour eux, et cela ne s'est jamais reproduit. Mais ce jour était à marquer d'une pierre blanche.

Je sais que cet instant a beaucoup touché Liz. Elle en parle toujours en public et déclare que, dans tous les placements qu'elle a effectués, c'est celui qui l'a le plus marquée. Inutile de dire que j'étais bouleversée, moi aussi. Lorsque je vis Fraser lui faire des signes d'au revoir, j'avais les larmes aux yeux. Cela n'avait rien d'inhabituel. Fraser m'avait fait verser tant de larmes ! La différence, c'était que, pour la première fois depuis bien longtemps, je pleurais de joie.

Dès le début, ma relation avec Fraser avait mis mes nerfs à mal. Il y avait eu des moments où, comme tous ceux qui m'entouraient, je me demandais si j'allais y arriver.

J'étais devenue mère relativement tard, un peu après la trentaine. J'avais rencontré Chris lorsque j'avais vingt ans et lui vingt-cinq, et nous étions mariés depuis dix ans déjà lorsque nous avons décidé d'avoir des enfants.

À vrai dire, nous étions le genre de couple qui pensait ne jamais en avoir tant nous menions une vie facile et confortable. Il était électricien et, formatrice dans une grande maison d'édition d'ouvrages juridiques, je partageais mon temps entre les bureaux du Hampshire et de Swiss Cottage, à Londres. Nous vivions dans un quatre-pièces avec terrasse à Andover, près de Southampton, sur la côte sud de l'Angleterre.

Nous avions acheté l'appartement à **titre d'**investissement, mais le défi nous avait plu, et, grâce aux talents de bricoleur de Chris, nous l'avions refait à neuf. Cela n'avait rien d'un palace, mais c'était le petit nid douillet que nous nous étions fabriqués. Nous nous y sentions très heureux, et je suppose que nous menions un mode de vie très enviable, car nous avions beaucoup d'amis et partions en vacances à l'étranger.

Un jour cependant, en rentrant du travail, Chris m'annonça qu'il songeait à fonder une famille. C'était le genre de bombe qui peut faire exploser un couple, mais rien de tel ne se produisit, car j'en étais peu à peu arrivée à la même conclusion. Je venais d'une famille très unie, où nous étions deux enfants. J'étais restée très proche de mon père et de ma mère et j'avais très envie de leur offrir des petits-enfants.

Lorsque nous avons parlé de notre projet à nos amis, tous semblaient abasourdis et pensaient que nous avions perdu l'esprit. Mieux que nous, sans doute, ils savaient que l'existence insouciante dont nous profitions allait prendre fin. Peu nous importait.

Dans ma vie, j'avais toujours tout planifié. Par conséquent, une fois la décision prise, je commençai à me connecter en ligne et à élaborer des plans : la maison que nous allions acheter, les chambres pour les enfants, les écoles, les vacances et jusqu'aux poneys qu'ils allaient monter ! Que dit donc ce vieux proverbe ? Que si vous voulez faire rire le bon Dieu, vous n'avez qu'à lui raconter vos projets. Si c'est vrai, il a bien dû rigoler en me voyant m'agiter de manière si spectaculaire.

Il n'y a aucun moyen de le dire facilement. Ma grossesse m'a fait vivre l'enfer. Dans tous les sens et toutes les formes du terme. Le premier problème, c'est que j'avais énormément grossi. Et quand je dis énormément... J'étais devenue si monstrueuse, que j'étais obligée de marcher avec des béquilles. Je suis très petite, un mètre cinquante-trois pour être précise, et je souffris d'un relâchement du plancher pelvien au bout de vingt semaines de grossesse.

Cela provoqua toutes sortes de problèmes, surtout parce que je devais faire tous les jours le trajet d'Andover à Londres, une prouesse avec mes béquilles. Et, comme si ce n'était pas assez pénible, je fis une prééclampsie avant la naissance.

À la fin février 2008, on me conduisit à l'hôpital de Winchester pour provoquer l'accouchement, ce qui s'avéra être la pire des épreuves. De nouveau, les événements me rappelèrent qu'on ne peut pas tout prévoir.

Dans mon esprit, je devais avoir une naissance naturelle, avec une charmante musique éthérée au milieu de visages souriants tandis qu'arrivait un magnifique bébé avec un sourire d'une oreille à l'autre. Tout devait se passer à merveille. La réalité fut tout autre.

Le travail dura trois jours, les trois jours les plus longs et les plus traumatisants de toute ma vie. Le deuxième jour, on me fit une péridurale pour soulager la douleur épouvantable qui me terrassait depuis mon arrivée à l'hôpital. Cependant, elle resta presque sans effet.

À six heures du matin, le troisième jour, le 1er mars, on décida de pratiquer une césarienne et on m'emmena en salle d'opération. Le chirurgien m'assura que tout se passerait bien, pour moi comme pour l'enfant, et que tout serait bientôt terminé. Ce furent les derniers mots que j'entendis. On pratiqua une anesthésie générale, et j'étais inconsciente au moment de la naissance. Lorsque je repris mes esprits, on m'annonça que j'avais donné naissance à un petit garçon, un gros bébé de près de quatre kilogrammes.

Étant donné les problèmes que j'avais éprouvés, il n'était guère surprenant que les premières heures de la maternité soient loin d'être paradisiaques. Je passai le premier jour de la naissance de Fraser dans une froide indifférence. C'était épouvantable. Je me rappelle qu'à un moment, je délirais tant sous l'effet de l'épuisement et des anesthésiques que, lorsqu'on me parlait de mon bébé, je me mettais à rire. Je prenais les gens pour des cinglés.

— Mais qu'est-ce que vous racontez ? Je ne suis même pas enceinte ! aurais-je prétendu.

J'ai quelques photos de moi et de Fraser lors des premières heures, et elles ne mentent pas. J'ai l'air complètement ravagée. Je suis très loin de la mère radieuse qui tient son enfant.

Par chance, Chris et ma mère étaient à mes côtés. Chris avait toujours été un roc, à mes yeux, mais lui aussi était en état de choc la plupart du temps, car il ne comprenait pas ce qui se passait. À certains moments, il ne savait même plus si sa femme et son bébé allaient survivre, tant mon cas semblait grave. Je ne sais pas ce que je serais devenue sans lui.

La personne qui souffrit le plus durant ces premières heures, ce fut Fraser. À cause des circonstances particulières de l'accouchement, nous étions tous deux sujets d'inquiétude pour les médecins. On s'inquiétait pour Fraser, car il avait la tête gonflée, et on s'inquiétait pour moi, car je faisais une hémorragie. En conséquence, j'ai eu du mal à tisser des liens avec mon enfant. Chris et maman l'avaient pris dans leurs bras et l'avaient dorloté, mais tout le monde avait l'impression que j'aurais dû être la première personne à le tenir et à l'habiller.

Hélas, j'étais soit inconsciente, soit en pleine crise de délire, si bien qu'une infirmière dut se charger de mon bébé. Fraser semblait très perturbé par ces événements.

Je ne suis pas assez naïve pour penser que je suis la première mère à éprouver des difficultés à la naissance et je ne serai sûrement pas la dernière.

J'espère néanmoins que peu de mères connaîtront l'expérience que j'ai vécue lors de ces premiers jours. Les souvenirs sont si épouvantables qu'ils me hantent encore aujourd'hui.

Ce ne fut que deux jours après la naissance, alors que j'avais retrouvé un peu de lucidité, que je commençai à comprendre que quelque chose ne tournait pas rond. C'était comme si Fraser était né en colère, vraiment en colère. Pendant les secondes vingt-quatre heures, il ne cessa de crier. Peu importe ce que je faisais, il hurlait à n'en plus finir.

Un an et demi plus tard, en novembre 2010, alors que je me demandais comment aborder la naissance de Pippa, les médecins m'incitèrent à consulter le dossier médical de la naissance de Fraser. Ils estimaient que cela permettrait d'éviter quelques complications.

Tout était resté dans le brouillard à l'époque, mais regarder le dossier m'a ouvert les yeux sur ce que j'avais enduré. Je savais bien qu'il y avait quelque chose, dès le début. En fait, je m'étais même confiée à quelques infirmières :

— Il y a quelque chose qui ne tourne pas rond chez lui, leur avais-je dit. Je n'aime pas la façon dont il regarde.

J'avais dit aussi qu'il avait l'air très en colère. Je n'avais obtenu aucune réponse sensée sur le moment, mais aujourd'hui je vois que j'étais la seule à avoir compris. Je me rappelle qu'une des infirmières m'avait dit que je devrais le cajoler un peu plus ! Comme si je ne passais pas chacune de mes minutes à cela ! On me laissa sortir de l'hôpital au bout de quelques jours, et je rentrai à la maison avec Fraser, imaginant qu'il se calmerait un peu, mais il n'en fut rien.

À notre appartement d'Andover, comme à l'hôpital, il continua à hurler toute la journée. De nouveau, j'avais l'impression qu'il était frustré, qu'il hurlait de rage. Instinctivement, je me faisais des reproches. J'avais l'impression qu'il m'en voulait parce que je m'y prenais mal.

Je ne le tenais pas correctement, je ne le nourrissais pas correctement, je ne l'habillais pas correctement. En tant que jeune mère, j'aurais dû me consacrer à créer ce lien magique entre la mère et l'enfant. Mais ce n'était pas du tout ce que je ressentais. J'avais l'impression d'être constamment en train d'éteindre un incendie.

Bien sûr, la plupart des livres disent que, lorsqu'un bébé pleure, il faut le laisser dans son lit jusqu'à ce qu'il s'arrête. Cela marche peut-être avec les autres enfants, mais avec Fraser, cela ne servait à rien.

En fait, le mot « pleurer » est assez mal adapté pour décrire le comportement de Fraser. « Beugler » est sûrement plus proche de la réalité. La maison était pleine de hurlements, de beuglements, de cris. J'étais affreusement malheureuse et je n'arrivais jamais à le calmer. Mais, si je ne réagissais pas, il renchérissait et hurlait si fort qu'il en devenait rouge comme une tomate et finissait par vomir.

Le stress et l'anxiété que cela provoquait m'affectaient profondément. Je suis proche de ma mère, et elle était venue m'assister dès que nous étions rentrés à la maison ; pourtant, l'arrangement ne dura pas très longtemps. Au bout d'un jour ou deux, je la renvoyai chez elle.

Il n'y avait aucun problème entre nous, nous nous entendions à merveille, mais je ne supportais personne autour de moi. Je ressentais un étrange mélange d'angoisse, de fatigue, de culpabilité et sans doute d'une bonne centaine d'autres émotions. Je ne le savais pas sur le moment, mais c'était le début d'une longue période de semi-isolement que je m'infligeais.

Ma mère était inquiète, bien entendu. Quelle mère ne se serait pas fait de souci ? Sachant que je vivais l'enfer, elle me téléphonait très souvent. Mais je l'inquiétais sûrement encore plus avec ce que je lui disais.

— Je n'aime pas Fraser, lui avouai-je un jour.

— Qu'est-ce que tu veux dire ?

— Eh bien, on est censé aimer son bébé, et moi, je ne l'aime pas.

Avec le recul, je me rends compte que cette réalité était choquante. Mais elle exprimait parfaitement ce que je ressentais et traduisait mon état d'esprit et ma santé fragile. Je n'étais pas à ma place et, au fil des jours, des semaines et des mois, la situation empirait.

Par moments, je me demandais : *Qu'ai-je donc fait au bon Dieu ?* À d'autres, j'étais convaincue d'avoir commis la plus grosse erreur de ma vie.

Je vivais un mariage heureux depuis dix ans, j'avais un bon travail qui me plaisait et une vie sociale très agréable. À présent, j'étais seule avec un bébé qui beuglait et vomissait vingt-quatre heures sur vingt-quatre, sept jours sur sept. Lentement mais sûrement, mon sentiment d'isolement grandissait. La plupart de mes projets se réduisaient à néant. Par exemple, j'étais impatiente de présenter mon bébé à mes collègues de travail.

Nous étions trois à attendre un bébé au bureau. Les deux autres jeunes femmes qui avaient donné naissance avant moi étaient venues présenter leur progéniture devant laquelle tout le monde s'extasiait. *Ce sera bientôt à mon tour*, pensais-je.

Mais, lors de ces premières semaines, il n'était plus question d'y songer. Je ne pouvais laisser personne le prendre, car il aurait explosé. De plus, le bureau était toujours très animé et je ne pouvais pas amener un bébé comme Fraser dans un environnement aussi agité. Cela aurait été un désastre. Il aurait hurlé comme un diable.

Comme mes collègues ne cessaient de m'envoyer des courriels pour me demander quand je l'amènerais, j'inventais excuse sur excuse. D'une certaine manière, j'avais un secret, un enfant que je ne pouvais pas présenter au monde. C'était très triste. Et c'était injuste.

Cependant, quelques semaines après la naissance de Fraser, on m'offrit la meilleure des excuses. Il ne serait plus question d'aller à mon ancien bureau si je vivais à sept cents kilomètres de là, dans les Highlands, en Écosse.

3

Toucher le fond

En y réfléchissant, je vois que la naissance de Fraser et les premiers jours du retour à la maison furent les moments les plus étranges et les plus angoissants de toute ma vie, et de loin ! De plus, la manière dont Chris décrocha ce travail d'électricien au domaine royal de Balmoral fut bizarre à l'extrême.

Tout commença le jour où je me mis à chercher des poneys des Highlands sur Internet. Cela peut paraître vraiment dingue, mais j'étais si angoissée et si épuisée à force de m'occuper de Fraser, que ma seule échappatoire consistait à regarder des images qui me rappelaient les jours heureux… que j'espérais revivre un jour.

Depuis l'enfance, j'étais passionnée par les chevaux. Je les aimais tous, mais j'éprouvais une attirance toute particulière pour les poneys des Highlands. Un jour, donc, pendant l'une des rares et brèves siestes de Fraser, je me connectai pour regarder des photos. Je tombai sur les merveilleux poneys du domaine de Balmoral, ce qui m'incita à consulter le site officiel du domaine.

Perdue dans mon monde imaginaire, je vis un lien qui indiquait : *Proposition d'emplois*. Je ne sais pas ce qui m'a amenée à cliquer dessus. Je ne pensais pas qu'ils avaient besoin d'une mère plongée dans l'angoisse jusqu'au cou pour s'occuper d'un bébé royal qui pourrait être en villégiature. La première ligne que je repérai était une annonce demandant un électricien.

Chris ne se sentait plus très bien dans son travail, à ce moment de notre vie. Il avait un tempérament facile, un sens de l'humour acéré et s'entendait bien avec tout le monde. Pourtant, s'il en avait assez de refaire les circuits électriques et de rééquiper des cuisines, au gré des commandes aléatoires. Il me fit les gros yeux lorsque je lui montrai l'annonce et lui conseillai de se présenter.

— C'est ça ! dit-il d'un ton sarcastique. Ce n'est pas un poste pour quelqu'un d'ordinaire comme moi.

— Comment tu peux le savoir si tu ne postules pas ?

— Bon, d'accord, j'envoie un CV. On verra bien ce qui se passe.

On envoya donc le CV, et là, ce fut la folie. Peu après, on reçut un courriel lui demandant s'il voulait bien se rendre à Balmoral pour un entretien. Si je n'avais pas éliminé l'Écosse d'office, c'était parce que sa mère vivait au nord de la côte est. Chris se rendit donc à Inverness et, de là, il emprunta la voiture familiale pour aller à son entretien.

D'après Chris, la rencontre s'était bien passée, et on lui avait promis de le rappeler. Il n'avait pas beaucoup d'espoir, mais, lorsqu'il retourna à l'aéroport d'Inverness, son portable sonna.

— Nous aimerions vous proposer le poste. Pourriez-vous commencer fin avril ?

Il était estomaqué, tout comme moi, lorsqu'il me rapporta les faits. Ce ne fut qu'à ce moment que les aspects pratiques commencèrent à nous submerger.

Comme Chris savait qu'on lui offrirait un logement, nous n'avions pas à nous creuser la tête de ce côté-là. Mais nous devions toujours vendre notre ancien appartement, emballer toutes nos affaires et préparer le déménagement à Balmoral, à onze heures de route. Et tout cela avec un bébé difficile sur les bras. Il n'est guère étonnant que j'aie refoulé presque tous les souvenirs de cette époque, qui reste très floue dans mon esprit.

Néanmoins, le voyage en Écosse restera imprimé de manière indélébile dans mon esprit. La plupart des bébés auraient dormi presque tout le long du trajet, bercés par le ronronnement du moteur et le léger balancement de la voiture. Pas Fraser. Il hurla presque tout le temps. Avec le recul, je comprends que le voyage offrait trop de stimulations pour lui, trop de choses à regarder.

Une fois à Balmoral, nous fûmes accueillis par le régisseur du domaine, au titre officiel de *Resident Factor*, plus connu des autres membres du personnel sous le simple nom de *Factor*. Il nous fit faire le tour des terres, et on vit l'immense château de granit agrémenté de tourelles, où la reine passait ses vacances d'été.

Le sommet du Lochnagar était encore enneigé, et le printemps commençait tout juste à faire son apparition, mais le paysage était si somptueux qu'on se serait cru dans un conte de fées. Du moins, si on avait été dans un état d'esprit permettant d'y croire.

Chris me conduisit au pavillon qu'on nous avait attribué à l'extérieur du domaine. Il était très enthousiaste en ce qui concernait cette partie du contrat.

— Tu verras, cela te plaira beaucoup, m'avait-il affirmé, me décrivant une charmante maisonnette au cœur de la forêt. Il y a même un lac au bout de la rue !

Pourtant, en se garant devant la maison, mon opinion fut tout autre. Le cottage n'était qu'une petite maison de pierres, nichée dans une clairière, au milieu d'une vaste étendue boisée, sur la route qui menait à Loch Muick. Il y avait un autre pavillon tout proche, et c'était tout. Mon cœur sombra. Je me sentais vide. J'étais loin de partager son enthousiasme. Je n'éprouvais pas la moindre joie.

— Ça ne me plaît pas.

— Comment ça ? C'est magnifique ! s'exclama Chris, choqué.

Je dus lui paraître bien ingrate, mais je comprends pourquoi j'avais réagi ainsi. Je venais de mettre un bébé au monde quelques semaines plus tôt, et la situation était horriblement difficile.

L'idée de vivre au milieu de nulle part ne me rassurait pas, mais ce n'était pas le plus grave. Je me sentais profondément malheureuse, et, même si je n'en étais pas vraiment consciente, j'étais très déprimée.

On s'installa en avril 2008. Notre voisin était un ancien comptable du domaine, qui avait pris sa retraite. Bien que charmant, ce vieux monsieur n'avait guère envie de passer son temps avec une jeune maman et son bébé hurleur.

La maison n'était pas idéalement située pour Chris non plus, car il avait vingt minutes de voiture pour se rendre à Balmoral. Il était toujours de permanence téléphonique, et, en cas de problème, il devait se rendre au domaine pour ne pas réapparaître, parfois, avant des heures.

Pendant les premières semaines, j'étais pratiquement seule dans le pavillon, que Chris soit de service ou non. Il partait à huit heures moins le quart tous les matins et, avec un peu de chance, revenait juste avant six heures du soir. À peine avait-il franchi le seuil de la porte que j'attendais son retour avec impatience. Entre-temps, je restais seule avec Fraser qui hurlait et beuglait à longueur de journée, quoi que je fasse.

Pourtant, en cette première fin de printemps et ce début d'été, le temps fut idyllique. On entendait la rivière qui coulait au pied de la colline et les oiseaux qui chantaient. Pour la plupart des gens, cela aurait été le paradis. Pour moi, c'était l'image de l'enfer.

Je tentais l'impossible pour calmer Fraser, mais rien ne fonctionnait. À présent, j'avais compris qu'il aimait dormir par petites périodes de deux heures. Il dormait pendant deux heures, se réveillait pendant deux heures, s'endormait pendant deux heures pour se réveiller à nouveau et ainsi de suite. La nuit, il dormait un peu plus longtemps, mais jamais beaucoup. Ces deux heures d'éveil étaient harassantes pour moi. Il fallait le changer, lui préparer son biberon et, lorsque j'avais fini par calmer ses cris, il était temps de tout recommencer.

Chaque instant, il y avait un défi à relever. Contrairement aux autres enfants, Fraser ne communiquait jamais. Si on faisait des petits bruits ou des chatouillis, il ne réagissait pas. D'habitude, le lien magique qui unit la mère et l'enfant se tisse à ces moments. Je n'obtenais jamais le moindre sourire, ni le moindre gargouillement ni aucune des petites mimiques auxquelles je m'attendais.

Il ne rendait jamais rien, ce qui était très perturbant pour une mère. Avec lui, la communication allait toujours à sens unique. Il ne faisait pas le moindre signe pour exprimer ses désirs ; il se contentait de hurler.

— Comment sais-tu ce qu'il veut ? me demanda un jour ma mère.

— Il crie jusqu'à ce que je trouve ce qu'il veut, répondis-je.

C'était la triste vérité. À certains moments, je me demandais si je n'avais pas atterri dans un imbécile de jeux télévisés où il fallait deviner le nom de l'objet caché.

— C'est ça que tu veux ? lui demandais-je en lui montrant une tasse.

— Ouiiiiin ! ouiiin ! obtenais-je pour toute réponse.

— Bon, d'accord. Alors, ça ? proposais-je, un biscuit à la main.

— Ouiiiiin ! ouiiin !…

— Bien, et ça ? faisais-je avec un jouet.

— Ouiiiiin ! ouiiin !…

Et cela continuait ainsi par essais et erreurs, ou ce qu'avec Chris j'appelais « essais et horreurs », jusqu'à ce que je tombe sur la bonne réponse. C'était exténuant.

Cela signifiait aussi que j'étais prisonnière à l'intérieur de la maison. Je ne pouvais rien faire d'autre ni aller nulle part.

Mon seul répit arrivait lorsque je mettais Fraser dans sa poussette pour l'emmener dans un petit endroit pittoresque, à l'ombre d'un grand arbre s'il y avait un souffle d'air. Il aimait beaucoup observer le balancement des branches et semblait apaisé par le murmure du vent dans les feuilles.

C'était le meilleur moyen de lui apporter un peu de calme. Je pouvais même parfois le laisser seul et en profiter pour me préparer une tasse de thé en cachette à la maison. Cela doit paraître épouvantable, mais je ne peux pas décrire le soulagement que m'apportaient ces quelques minutes dérobées de paix et de silence.

Je vivais au jour le jour. Pourtant, je savais que les choses ne pourraient pas continuer éternellement ainsi, si bien que je chargeai Chris de demander qu'on nous trouve un endroit moins isolé. On lui répondit qu'il n'y avait aucune disponibilité. Pendant les sept mois suivants, à peu près, je ne fis que survivre. J'y parvins presque.

Quand je repense à cette période, je comprends combien je me sentais mal et à quel point mes pensées étaient distordues.

Cela me choque toujours quand je me rappelle ce qui me traversait l'esprit à l'époque. J'atteignis le fond un soir, lorsque Chris rentra du travail.

Après une journée très difficile avec Fraser, je décidai d'aller faire une petite promenade. Je suivis le chemin qui menait à la rivière et me dirigeai vers un petit pont de métal vert qui traversait les eaux bouillonnantes.

Là aussi, la vue était splendide, un petit coin de paradis des Highlands. Prisonnière de mon propre enfer, j'étais incapable de m'en apercevoir.

Je n'étais là depuis quelques minutes à peine lorsqu'une pensée me traversa l'esprit : *Et si je sautais par-dessus la rambarde ? Qui s'en soucierait ?*

Je souffrais d'isolement et de solitude. J'étais désespérée. Pendant un moment, je ne sais pas combien de temps, j'observai la rivière et songeai à ce qui se passerait si je sautais et me laissais emporter par le courant. Aurais-je vraiment été capable de franchir le pas ? Étais-je vraiment sur le point d'en finir ? Mon esprit était embrumé dans un tel brouillard que, franchement, je ne connais toujours pas la réponse.

À un moment donné, tout ce que je pouvais voir, c'étaient des images de Chris, de ma famille et surtout de Fraser. Je ne pouvais pas leur faire ça ! De retour à la maison, ce soir-là, je pensais que j'avais touché le fond, mais il s'avéra que ce n'était pas tout à fait vrai.

Le point positif avec notre déménagement en Écosse, c'était que le personnel médical se montrait beaucoup plus gentil et plus compréhensif. Je n'appréciais pas du tout le personnel de santé en Angleterre ; nous ne nous étions absolument pas compris. Personne ne semblait prêt à m'écouter et on ne me prenait pas au sérieux. Quoi que je dise, je leur donnais l'impression de me tromper, d'être naïve, de ne rien comprendre.

Fraser, par exemple, ne cessait de vomir depuis le tout début. Pour eux, tout ce que j'avais à faire, c'était lui donner son biberon, et le problème serait réglé ! J'avais beau leur expliquer que j'étais très inquiète et que je me demandais s'il ne faisait pas des intolérances ou des allergies, on ne cessait de me répondre :

— Ne soyez pas stupide.

On m'affirma également qu'on ne pouvait pas me recommander d'utiliser du lait pour bébé sans lactose. La seule réponse que j'obtenais, c'était que mon enfant était colitique et qu'on allait lui prescrire des gouttes. Bien entendu, lorsque je le mis au lait de soja quelques mois plus tard, la situation s'améliora légèrement.

J'avais l'impression qu'on s'en tenait à une attitude très rétrograde du genre : « Il va falloir vous en accommoder. » Lorsque je parlais de ses hurlements, on me disait qu'il était comme ça et que je ferais mieux de m'y habituer.

En Écosse, les choses s'améliorèrent immédiatement. Fraser n'avait même pas été déclaré lors de notre arrivée à Balmoral, mais je reçus bientôt la visite d'une assistante médicale appelée Jayne. Je n'exagère sans doute pas en disant qu'elle m'a sauvé la vie.

Jayne était charmante et décontractée, et je pus facilement me confier à elle. Pas une seule fois elle ne m'a considéré comme une maman névrotique et elle écoutait toujours attentivement ce que j'avais à dire. Bien entendu, en réalité, je souffrais d'une dépression post-partum. Jayne le savait, tout le monde le savait, à part moi. J'étais incapable de l'accepter, parce que, à mes yeux, cela aurait signifié perdre le contrôle de ma vie.

Jayne et mon médecin me prescrivirent des cachets pour m'aider à surmonter ma dépression, mais je refusai de les prendre. À mes yeux, tout allait bien chez moi. Je ne voulais rien entendre, je restais sur la défensive.

— Vous me traitez de mauvaise mère ! aboyai-je.

En fait, personne ne pouvait pénétrer dans mon univers.

Lorsque l'été s'installa, je décidai de prendre un peu de vacances et d'aller rejoindre ma famille dans l'Essex.

Après avoir vécu plus de trois mois d'enfer avec Fraser, et plus de deux mois d'isolement dans les Highlands en Écosse, il n'était guère surprenant que ma relation avec Chris soit des plus tendues.

Il travaillait, avait obtenu le poste dont il avait toujours rêvé et se sentait parfaitement heureux, et moi, j'étais si malheureuse que j'étais à deux doigts de commettre l'irréparable. Pauvre Chris. Il essayait de trouver des moyens de me remonter le moral et passait tout son temps à m'aider à la maison, mais rien n'y faisait. Pour lui, la situation était très délicate et il ne savait que faire.

Ma mère me suppliait de venir la voir, si bien que je finis par céder et par descendre avec Fraser. J'eus une violente dispute avec Chris avant de partir, même si je ne sais plus à quel sujet.

Ce dont je me souviens, c'est que, pour je ne sais quelle raison, j'avais mis les cachets qu'on m'avait prescrits dans mon sac. Nous nous disputions souvent à ce sujet. Chris pensait que je devais les prendre, mais j'estimais que ce n'était qu'une perte de temps et que je n'en avais pas besoin. Je les avais emportés par provocation, pour dire « Bon, tu es content, maintenant ? »

Le premier soir, chez maman, je fis dormir Fraser à côté de moi, dans son couffin. Comme d'habitude, il ne cessa de crier et se mit à vomir. Il n'y avait rien d'extraordinaire à cela ; ce n'était pas non plus exceptionnel de le voir vomir. Je me levai, le lavai, changeai le lit et essayai de me rendormir. J'avais à peine terminé qu'il était à nouveau malade, mais, cette fois, ce n'était pas comme d'habitude. Il ne pleurait pas. Il était environ trois heures et demie du matin.

D'instinct, je savais que quelque chose ne tournait pas rond. Ainsi, après avoir tout nettoyé, j'appelai ma mère.

Elle le regarda et alla chercher un thermomètre. Sa température frôlait les quarante-deux degrés, et il vomissait en permanence, à tel point qu'il commençait à ne plus rien avoir dans l'estomac. Il se contentait d'éructer.

Ma mère appela les services d'urgence et dut répondre à des milliers de questions. On nous dit de lui donner de petites gorgées d'eau et de voir ce qui se passait. Comme on comprit vite que cela ne servait à rien, ma mère rappela et se mit en rage :

— Vous devez absolument faire quelque chose ! Ce bébé est vraiment très malade ! hurla-t-elle dans le téléphone.

Il faisait jour, et l'antenne locale était maintenant ouverte. On appela, et un médecin arriva. Après avoir jeté un coup d'œil vers Fraser, il déclara :

— Il faut l'hospitaliser. Tout de suite.

Comme mes parents habitaient tout près du Southern Hospital, nous arrivâmes en quelques minutes.

Je n'exagère pas en disant qu'à cet instant, Fraser avait l'air à moitié mort. Il n'était plus blanc : sa peau avait pris la teinte grisâtre et terne d'un cadavre, et il respirait à peine. Il avait cessé de vomir et ne pleurait plus depuis des heures.

Les médecins le mirent immédiatement sous perfusion dans un box et le branchèrent à toutes sortes de tubes pour pouvoir l'hydrater et lui administrer des médicaments. Dans un état second, je restai immobile, incapable de réfléchir.

Quelques heures plus tard, un médecin vint m'annoncer que Fraser souffrait d'une grave gastro-entérite. Il ne connaissait pas encore l'étendue des dégâts et espérait pouvoir le ranimer. Il me précisa que les vingt-quatre heures suivantes seraient déterminantes.

On m'autorisa à m'asseoir près de lui. Les infirmières l'avaient placé sur un matelas de haute technologie qui enregistrait ses battements de cœur et le rythme de sa respiration.

On voyait qu'il avait toujours un rythme cardiaque, mais tout juste, et qu'il respirait, mais tout juste. Tout se passait si rapidement que j'avais perdu la notion du temps. Ce premier soir, je restai à l'hôpital avec lui. Ce fut là, toute seule, que je compris enfin. D'un seul coup.

Je regardai Fraser, allongé sur son lit et pensai : *Ce n'est pas ta faute.*

Jusque-là, j'étais un peu dans le brouillard, mais soudain je comprenais. Je n'avais pas su réagir à la situation. J'avais beaucoup de colère en moi, mais je l'extériorisais contre les mauvaises personnes. Je m'en prenais à mes proches : Chris, ma mère et surtout Fraser.

Je me rappelle avoir pensé : *Mon bébé va mourir et je suis en colère contre lui. Je lui ai fait des reproches, mais ce n'est pas sa faute, à ce pauvre gosse. Qu'a-t-il fait de mal ? Rien !*

J'arrivais à un point de non-retour, sombrant dans le fond du gouffre que je devais toucher. Je savais que je devais me rattraper à quelque chose avant qu'il ne soit trop tard.

C'est étrange comme l'esprit humain fonctionne bizarrement, comme une crise peut brutalement vous confronter à la réalité. À l'hôpital, je compris combien ce bébé était précieux et combien je l'aimais. Cela m'avait échappé pendant les derniers mois, sans doute à cause de ma dépression. Tout ce que je savais à présent, c'était que je devais prendre soin de lui et lui donner une chance dans la vie. Soudain, ma colère se dissipait. Tous mes ressentiments s'évaporaient. C'était incroyable.

Le lendemain matin, Fraser était transformé, lui aussi. On lui avait injecté des quantités vertigineuses de liquide et, comme souvent avec les enfants, à un instant, il était à l'article de la mort et, à l'instant suivant, il était presque guéri.

— Les bébés sont extraordinaires, ils tombent malades en un rien de temps et se remettent aussi vite, me dit le médecin en m'annonçant la bonne nouvelle, le lendemain.

J'éprouvais un étrange mélange de soulagement et de détermination. Je savais exactement ce que je devais faire. Je sortis de mon sac le petit flacon avec les cachets qu'on m'avait prescrits pour ma dépression post-partum et en avalai deux, comme indiqué sur l'étiquette. À partir de là, les choses commencèrent à s'améliorer.

Ma mère avait appelé Chris pour le tenir informé, et il avait sauté dans la voiture pour faire les onze heures de trajet sans savoir si son fils allait survivre, dans quel état il trouverait sa femme, où ils en étaient dans leurs relations, se demandant même s'il était toujours marié. Je n'arrive pas à imaginer quel supplice il a dû vivre pendant le trajet.

Chris fut aussi soulagé que moi lorsqu'il vit Fraser dans son lit, en aussi bonne forme que lorsqu'il avait quitté l'Écosse avec moi, trente-six heures plus tôt.

Chris était descendu parce que les médecins pensaient que Fraser avait contracté cette gastro-entérite à l'aéroport ou dans l'avion en direction de Luton. Il nous avait donc conseillé de le remettre dans un environnement sain et sûr. Il dormit un peu pendant le trajet du retour, encore épuisé par la crise qu'il venait de traverser.

Le voyage nous apporta un soulagement bienvenu, en grande partie parce qu'il nous donna l'occasion de bavarder. Je m'excusai pour la manière dont je m'étais comportée et lui expliquai les idées qui me traversaient l'esprit.

Soutien indéfectible, Chris me dit qu'il se faisait beaucoup de soucis pour moi et qu'il était content que je suive enfin les conseils des médecins. À l'hôpital, j'avais pensé que mon couple était condamné, mais, de retour en Écosse, je savais que nous allions surmonter la crise.

Le problème de Fraser ne disparut pas pour autant. La vie avec lui était toujours aussi difficile, sinon plus. Dans les années qui suivirent, nous en avons appris beaucoup sur sa condition. Mais, à partir de ce jour, je fus capable de prendre un peu de recul et d'examiner les problèmes de manière plus rationnelle.

Au travail, je m'étais toujours montrée très logique et très organisée. Je commençai donc à affronter les problèmes de manière logique et organisée. Depuis, je n'ai plus changé d'état d'esprit. Il s'agit toujours de résoudre un problème, de dire ce qu'il faut dire pour le surmonter, de faire ce qu'il faut faire pour le régler. C'est la manière dont j'aborde la vie avec lui à présent. Je n'ai pas d'autre solution.

Ce qui ne vous tue pas vous rend plus fort, dit-on, et c'est la vérité. Les quelques mois qui ont suivi la naissance de Fraser ont été très traumatisants, mais ils ont servi de catharsis. Depuis, je m'en tiens à la même philosophie. Ce n'est la faute à personne si nous nous trouvons dans cette situation.

Ce n'est pas celle de Fraser, ce n'est pas la mienne, ce n'est la faute de personne. On nous a distribué les cartes que nous avons en main, et c'est ma responsabilité de jouer avec elles, de faire passer Fraser en premier, de faire tout ce qui est en mon pouvoir pour lui offrir une vie meilleure. C'est à cela que je me consacre, jour après jour.

Voilà pourquoi, trois ans après avoir touché le fond, j'ai fini par lui trouver son nouvel ami, Billy.

4

Comme larrons en foire

L'arrivée de Billy nous apporta une grande bouffée d'air qui rafraîchit nos vies. À peine avait-il sauté de sa cage, que l'atmosphère de la maison en fut transformée, pour le meilleur, sans doute parce que Billy était beaucoup plus présent que Toby. Plus jeune, plus vivant, il avait une plus forte personnalité que notre autre chat.

Dès les premiers jours, il se promenait dans toute la maison, comme s'il y avait toujours vécu et s'installait dans les endroits qu'il trouvait confortables. Il se plaisait beaucoup dans la petite buanderie, à l'arrière, et je le trouvais souvent dans le panier à linge en osier. Il disparaissait aussi de temps en temps dans le terrain qui entourait la maison, ce qui ne nous inquiétait pas particulièrement. Sur le conseil du vétérinaire qui lui avait fait ses vaccins avant de nous le confier, on avait tenté de l'enfermer, mais Billy était trop indépendant pour le supporter. Par chance, lors des premiers jours, il ne s'aventurait pas très loin et préférait s'exercer à grimper aux arbres. Un jour, par la fenêtre, je le vis au sommet de l'arbre le plus proche de la route. C'était impressionnant, voire un peu effrayant.

51

Téméraire, il resta un moment à se balancer sur la branche en observant le paysage en contrebas, un peu comme la vigie d'un voilier.

À l'intérieur, il continuait à rester à l'écart de Toby et ne se risquait pas à envahir son domaine à l'étage. Sans avoir peur, il ne s'intéressait guère à un chat qui paressait toute la journée. Billy avait besoin d'action et de toutes sortes d'activités, surtout si elles impliquaient Fraser.

Ce fut le second effet instantané que Billy eut sur nos vies. Il offrait à Fraser le compagnon simple et affectueux que j'avais espéré pour mon fils sans lui demander grand-chose en échange. C'était un chat, après tout, une créature indépendante. Je voulais simplement qu'il soit l'ami de Fraser, et il remplissait sa mission à merveille.

Tous deux avaient repris la relation là où ils l'avaient laissée lors de leur première rencontre et ils s'entendaient comme larrons en foire. Ils passaient des heures ensemble. Lorsque Fraser revenait de la maternelle ou d'une visite chez le médecin, on aurait dit deux frères qui se retrouvaient enfin après une longue séparation.

Billy s'était même mis à dormir près de Fraser. À cause de son hypotonie, Fraser ne pouvait accomplir plus de quelques mètres et était incapable de monter des marches, si bien qu'il dormait en bas. Le soir, lorsque Fraser était en sécurité dans son lit et que la maison devenait silencieuse, Billy s'endormait dans le couloir près de sa porte.

Lorsque Fraser se levait le matin, Billy n'était jamais loin. Il restait dans la cuisine pendant que Fraser déjeunait.

— Mon Billy, disait Fraser.

Étant donné la manière dont Fraser avait refusé de communiquer avec qui que ce soit pendant une grande partie de sa jeune vie, cela me réchauffait le cœur de les voir ensemble. Dans le grand schéma général des événements, c'était une toute petite interaction, mais, pour moi, c'était fantastique. C'était un peu comme si Billy faisait sortir Fraser dans le grand monde.

Lorsque j'avais une petite minute de libre, je ne pouvais m'empêcher de les regarder, tous les deux. J'avais du mal à le définir, mais j'avais l'impression que, d'instinct, Billy comprenait Fraser et ses besoins.

Fraser, par exemple, aimait regarder la télévision allongé sur le sol du salon. Nous avions un plancher avec au milieu un grand tapis sur lequel il aimait se réfugier. Billy s'était adapté rapidement et s'installait assez près pour que Fraser puisse le toucher. Fraser répondait toujours. Il posait sa tête sur le ventre de Billy ou se pelotonnait à côté de lui. Parfois, Fraser s'accroupissait près de Billy. De temps en temps, je m'installais avec eux au salon pour boire une tasse de thé lorsqu'ils étaient ensemble.

Dès le début, je fus frappée par la manière dont ils se roulaient sur le tapis : de temps à autre, Billy se penchait et pressait la tête contre la poitrine de Fraser, un peu comme s'il lui donnait des coups de boule.

Il agissait souvent ainsi lorsque Fraser était allongé sur le dos et semblait le pousser contre le sol. On aurait dit qu'il avait compris que cela plaisait à Fraser. Par quel miracle ? Je n'en ai aucune idée.

Ce fut un des aspects de l'hypotonie de Fraser que nous avions découverts récemment. À cause de la laxité de ses articulations, Fraser était très limité dans ses mouvements. Bébé, il était incapable de marcher, il ne rampait même pas. Pour se déplacer, il s'asseyait et se traînait sur les fesses. Par conséquent, pendant les dix-huit premiers mois, il se contenta de rester allongé par terre, sur le dos. Il ne changeait jamais de position et ne se tournait jamais sur le ventre. Pendant ces premiers mois, j'avais appris à m'accommoder de la situation et, pour le changer, je le laissais sur le sol plutôt que de l'installer sur une table spéciale. C'était la meilleure façon d'éviter une crise de colère noire.

Lorsque le diagnostic fut vraiment posé, on nous expliqua enfin qu'il restait ainsi parce qu'il avait besoin d'appuis et qu'il lui fallait quelque chose de solide autour de lui. Il s'allongeait sur le dos pour exercer une pression contre sa colonne vertébrale et ses jambes.

Dans les autres positions, il avait l'impression de se trouver dans le vide et ne se sentait pas en sécurité. En deux jours, Billy avait deviné ce qu'il nous avait fallu presque deux ans pour comprendre. Il appliquait une pression, car il savait, d'une manière ou d'une autre, que Fraser en avait besoin.

— Ils s'entendent comme larrons en foire, ces deux-là, dis-je un jour à Chris, au dîner. Je crois que Billy le comprend mieux que nous.

— On verra, répondit Chris en levant les sourcils. On verra ce qui se passera le jour où Fraser piquera une crise.

Il marquait un point.

L'arrivée de Billy dans nos vies n'était pas sans soulever de nouveaux problèmes. On s'inquiétait pour Pippa, par exemple, car on avait peur que Billy ne repère son couffin, le trouve à son goût et n'aille s'y pelotonner. On raconte tant d'histoires de chats qui ont étouffé des bébés de cette manière !

Il devint vite clair cependant que nous n'avions pas grand-chose à craindre de ce côté-là, car Billy ne lui accordait que peu d'attention. Préférant grandement rester au rez-de-chaussée avec Fraser, il s'aventurait rarement à l'étage. Bien entendu, on se demandait comment Billy allait réagir face aux crises de Fraser. Cela m'angoissait, et je savais que Chris s'inquiétait tout particulièrement, car il avait compris que Fraser nouait un lien très solide avec son nouvel ami. Nous savions tous deux qu'une crise majeure n'était jamais très loin. Que se passerait-il si Billy s'enfuyait, terrorisé par les cris ? Que se passerait-il si la dynamique de cette nouvelle amitié se brisait avant même d'avoir eu la chance de se former vraiment ? On était restés en contact avec Liz et on avait convenu d'attendre quelques semaines avant d'adopter définitivement Billy. Devrions-nous retourner à Aboyne ? Pire encore, quelles seraient les conséquences sur Fraser si on le privait de son nouvel ami ? Nous n'avons pas eu longtemps à attendre avant de connaître les réponses.

Un soir, au début de juillet, Chris rentra du travail à l'heure habituelle. Nous venions de traverser quelques jours de canicule, et la journée avait été particulièrement humide.

— Bonjour. Je suis resté enfermé dans une pièce mal ventilée toute la journée. Je vais prendre une douche en vitesse, dit-il en passant la tête par la porte de la cuisine pendant que je donnais le goûter à Pippa qui était sur sa petite chaise.

Tout se passa si vite et si spontanément, que ni l'un ni l'autre ne pensa que c'était une modification de la routine. Lorsque Chris rentrait du travail, il se reposait un instant pour prendre le thé. Bien entendu, ce détail n'avait pas échappé à Fraser.

Comme il avait fini de manger, il alla au salon pour jouer avec Billy. Le bruit de la douche lui était à peine parvenu aux oreilles que, terriblement agité, il sortit dans le couloir.

— Papa s'est trompé ! s'exclama-t-il en se balançant d'avant en arrière sur les talons, serrant et desserrant les poings. Papa s'est trompé. Il doit pas faire ça, répéta-t-il en posant les mains sur ses oreilles.

Tous ces signes annonçaient une crise imminente. Cela faisait plus de trois ans que j'assistais à ce spectacle. Je savais que tout se serait encore arrangé si, à cet instant, Chris était revenu prendre son thé à la cuisine, comme d'habitude. Mais il était trop tard pour cela. L'enfer allait se déchaîner. Je me préparai à l'explosion.

Lentement, mais sûrement, les joues de Fraser s'empourpraient. Ce n'est pas toujours drôle, mais, parfois, il me fait penser à un personnage de dessins animés qui se met en colère. Une minute plus tard, il hurlait comme un goret et j'essayais de le calmer.

Sur une échelle de un à dix, cette crise méritait un six ou un sept. À neuf ou dix, il mettait les mains dans sa bouche, se mordait les doigts et bavait comme un diable. À dix, il saignait du nez, ce qui était terrifiant. Au stade six, c'était déjà assez effrayant pour qu'un passant se demande pourquoi une dizaine d'enfants se mettaient à hurler en même temps dans notre maison. Fraser criait déjà depuis trente secondes ou une minute lorsque Billy apparut. Il avait fait une petite promenade dans la maison, mais avait entendu les cris de son copain.

Fraser beuglait toujours dans le couloir, les mains sur les oreilles. Billy s'installa en face de lui et le regarda. La situation était apocalyptique, mais le chat resta tranquillement assis, à observer la scène. À un moment donné, il frotta sa queue contre Fraser, comme pour le consoler ou le calmer.

Au début, Fraser ne s'aperçut de rien, mais, au bout d'un moment, il se rendit compte de la présence de Billy. Cela ne tarit pas ses pleurs, mais ce fut comme une sorte de signal pour Billy. Il se mit à faire des cercles autour de moi et de Fraser, jusqu'à ce que la situation revienne peu à peu à la normale. Chris réapparut quelques minutes plus tard en se séchant les cheveux avec une serviette, l'air contrit.

— Excuse-moi, je n'y ai plus pensé, me dit-il.

Nous avions connu tant d'accès de colère, que je m'étais endurcie.

— Ce n'est pas grave. La bonne nouvelle, c'est que cela n'a pas effrayé Billy.

— Vraiment ? J'ai vu que Toby s'était réfugié sous notre lit, alors, j'ai supposé que Billy en avait fait autant.

— Pas du tout. Je ne sais pas ce qui lui est arrivé dans son ancien foyer, mais cela ne l'a pas perturbé le moins du monde. C'est étonnant qu'un jeune chat puisse gérer ce genre de crise, non ?

Chris hocha la tête et descendit à la cuisine.

— J'espère vraiment qu'on pourra le garder, mais laissons-nous encore un peu de temps, dit-il après avoir mis la bouilloire sur le feu pour finir par prendre son thé.

Il savait parfaitement comment fonctionnait mon esprit.

— Je sais que tu as envie qu'il devienne le meilleur ami de Fraser, mais tu sais à quel point la situation est imprévisible. Je ne voudrais pas que tu en souffres à nouveau. Rappelle-toi ce qui s'est passé avec Toffee !

Comment aurais-je pu oublier !

Deux ans plus tôt, nous avions adopté un chien, un croisement de whippet et de saluki, recueilli par le sanctuaire des lévriers. Nous l'avions pris pour moi, plus que pour Fraser ou Chris.

Un mois après le diagnostic de dépression post-partum, j'avais estimé qu'il me fallait une autre compagnie en dehors d'un enfant qui vociférait à longueur de journée.

À ce moment-là, nous avions quitté le cottage des bois pour nous installer dans la maison du portail du domaine de Balmoral, près du pont qui traversait le Dee, en face de l'entrée principale du château. Ce n'était pas parfait pour Fraser, mais c'était beaucoup moins isolé, ce qui offrait une petite consolation, car nous étions déjà en novembre, et le sombre hiver écossais arrivait à grands pas.

J'avais toujours aimé les chiens et j'étais folle de celui-là que j'avais baptisé Toffee. Je me sentais encore souvent seule, mais Toffee m'offrait un nouveau centre d'intérêt et j'aimais qu'il nous accompagne lorsque j'emmenais Fraser se promener dans sa poussette sur les terres de Balmoral.

Pendant quelques semaines, je nourris l'espoir que nous avions agrandi la famille et que j'aurais enfin un compagnon pour les longues journées sombres qui m'attendaient.

Néanmoins, je compris vite que sa présence était incompatible avec Fraser. À ce moment, Fraser avait commencé à se traîner sur le sol de plus en plus souvent. Cela posait un problème, car Toffee bavait beaucoup et laissait de nombreux poils sur les tapis. Fraser supportait bien notre chat, Toby, mais il était allergique aux poils de chien, et ceux de Toffee déclenchaient des saignements de nez et des crises d'asthme. Les épisodes étaient si sévères que je dus l'emmener chez le médecin à plusieurs reprises. Il ne nous fallut pas longtemps pour tirer la conclusion inéluctable : on devait ramener Toffee au sanctuaire. Les gens se montrèrent très compréhensifs et lui trouvèrent un autre foyer presque aussitôt.

Nous avons accepté d'aller jusqu'à Dundee pour confier Toffee à un bénévole qui l'emmènerait à Berwick-upon-Tweed, à la frontière entre l'Écosse et l'Angleterre. Le trajet fut épouvantable. Fraser se trouvait dans son petit siège, Toffee, dans son panier à l'arrière, et j'occupais la place du passager avec l'impression qu'on me déchirait le cœur en un millier de petits morceaux.

Nous devions rencontrer le bénévole dans le parking d'un grand magasin, mais, en arrivant, je me rendis compte que j'étais incapable de lui confier Toffee.

Ce serait insupportable. Je l'emmenai donc faire une petite promenade, lui fis mes adieux à l'écart et le remis à Chris pour qu'il aille le donner. De retour dans la voiture, je m'efforçai de ne pas pleurer pour ne pas perturber Fraser, mais c'était peine perdue.

Les temps étaient difficiles, et l'épisode, bien triste. Mais je me souvins de la promesse que je m'étais faite, à moi-même et à Fraser, et je me repris vite. Je n'avais pas le choix, de toute façon. Cependant, il devenait de plus en plus évident que Fraser souffrait de graves problèmes.

Je suis sûre que presque tous les parents ont un petit carnet avec les divers jalons que leur enfant est censé atteindre à un certain âge. Il y a des moments où ils doivent marcher, parler, être propres, manger seuls. Avec Fraser, je compris vite que je ferais mieux d'y renoncer. Il n'y parviendrait jamais.

En tant que mère, je comprenais que toutes ces étapes manquées ne faisaient que confirmer ce que je savais déjà : quelque chose ne tournait pas rond. Pourtant, la profession médicale ne s'intéressa à son état que quand les retards s'accumulèrent à tel point que cela devint flagrant sur les courbes de leurs propres radars. En janvier 2009, lorsqu'il avait dix mois, on l'avait envoyé chez un orthopédiste, car on estimait qu'il souffrait d'un problème physique puisqu'il semblait ne pas pouvoir se mouvoir. Il se contentait de rester allongé sur le dos.

On l'examina sans rien trouver de caractéristique, si bien qu'on l'envoya chez le docteur Stephen, une pédiatre à Aberdeen. L'autisme expliquait nombre de ses comportements, mais on nous affirma que Fraser était trop jeune pour qu'on pose un tel diagnostic.

En général, on ne peut être sûr de rien avant l'âge de quatre ans. Mais, comme c'était trop souvent le cas à ce moment-là, il fallut un nouveau drame pour faire avancer les choses.

Un lundi matin, alors qu'il avait environ quatorze mois, Fraser était allongé sur le sol et tapait les jambes par terre, comme il le faisait souvent. Mais, de temps à autre, il se raidissait à l'extrême, puis se mettait à trembler terriblement. La séquence se répétait : il se raidissait et tremblait, se raidissait et tremblait.

Il redevenait normal pendant un moment et recommençait. C'était un phénomène auquel nous avions déjà assisté une ou deux fois, mais jamais avec ce critère de gravité. Le spectacle nous déroutait, et nous étions très inquiets. Nous avions peur qu'il fasse une crise d'épilepsie.

Je téléphonai donc à la maman de Chris, car, à l'époque, elle travaillait avec des adultes qui avaient des besoins particuliers. Je savais qu'elle avait une certaine expérience de l'épilepsie. Dès que je lui décrivis les symptômes, elle me dit d'appeler tout de suite une ambulance.

Bien entendu, ce ne fut pas si simple. Chris téléphona aux urgences, et on lui posa des centaines de questions. Il leur parla de la raideur et des tremblements.

Il dit également que Fraser était incohérent et que son teint nous inquiétait beaucoup. En fait, son visage avait pris une couleur de cendre. On finit quand même par nous envoyer un véhicule.

Les infirmiers partagèrent notre inquiétude. On effectua les dix dernières minutes de trajet vers l'hôpital toutes sirènes dehors, car l'état de Fraser semblait s'aggraver, mais il fut vite en de bonnes mains.

Un peu plus tard, un spécialiste vint nous dire qu'il ne s'agissait sans doute pas d'épilepsie, même s'il n'avait aucune autre explication à nous fournir. Il proposa de le garder en observation, ce qui était extrêmement frustrant. Nous étions morts d'inquiétude.

Par une heureuse coïncidence, nous avions rendez-vous avec le docteur Stephen deux jours plus tard. Nous l'avions déjà consultée un mois plus tôt, et elle nous avait demandé d'observer attentivement Fraser et, si possible, de le filmer. Chris avait quelques images des crises de colère et de cette étrange réaction que nous avions l'intention de lui montrer lors du rendez-vous.

Je passai la nuit du lundi avec Fraser, pendant que Chris rentrait à la maison pour revenir le lendemain avec sa mère et le caméscope.

Par hasard, le docteur Stephen était arrivée avec une équipe d'étudiants de bonne heure le mardi matin pendant que j'étais descendue prendre mon petit-déjeuner. Normalement, nous ne devions la voir que le lendemain, mais elle préféra examiner Fraser. Chris était déjà arrivé, mais il était descendu me chercher, laissant le médecin seule avec sa mère pour regarder les images.

Les médecins regardèrent le film deux ou trois fois, l'air très inquiet. Lorsque je revins avec Chris, le docteur Stephen avait définitivement écarté la thèse de l'épilepsie.

— C'est une sorte d'attitude de gratification, dit-elle. Je crois qu'il faut faire passer à Fraser des tests plus précis.

Ce fut un moment très important pour nous, car, à partir de là, les instances médicales commencèrent à nous prêter attention. Par la suite, Fraser passa une IRM cérébrale, un électrocardiogramme, et on lui plaça des capteurs sur le crâne pour déceler des signes d'épilepsie. Par chance, on ne trouva rien.

Donc, quelques mois après cette crise, en août 2009, Fraser passa une semaine dans un centre pédiatrique spécialisé d'Aberdeen. Ce fut une semaine d'une importance cruciale dans la vie de Fraser.

Chris dut prendre une semaine de congé, ce qui n'était guère aisé, car la reine était en résidence. Tous les jours, nous avions une heure et demie de route afin de nous rendre dans ce centre spécialisé pour enfants en difficulté. Le bâtiment accueillait également des enfants souffrant d'incapacité physique, si bien que, dès le premier abord, l'établissement donnait bonne impression. Il y avait des espaces sensoriels sur les murs, des roues de bois qu'on pouvait faire tourner, et tout était placé au niveau de l'enfant, ce qui fonctionnait très bien.

Pour Fraser, pénétrer dans un nouveau bâtiment avec de longs corridors était toujours terrifiant, mais tous ces jouets à portée de main le distrayaient de sa peur, ce qui était une excellente idée. La grande salle de jeux étant équipée d'un miroir sans tain tout le long d'un mur, Chris et moi pûmes l'observer pendant un moment.

Fraser n'était pas le seul enfant à passer les tests : il y en avait cinq autres avec lui. Ils avaient tous moins de cinq ans, mais Fraser était le plus jeune. Chacun avait une aide-infirmière avec laquelle il travaillait. Tous reçurent la visite d'un orthophoniste, d'un psychologue et d'un ergonome qui passèrent une semaine à examiner tous les aspects de leur comportement.

Par exemple, ils observèrent les réactions de Fraser face à différentes textures et le firent jouer avec de la mousse à raser, de la gelée, du sable, de l'eau, de la peinture et quantité de choses plus ou moins gluantes pour voir ce qui lui plaisait ou non.

Ils analysèrent également la façon dont Fraser réagissait avec nous et passèrent du temps avec chacun d'entre nous individuellement avant de nous réunir.

Il y eut des moments où je ne pus m'empêcher de rire.

— Vous semblez savoir d'instinct de quoi Fraser a envie, me dit quelqu'un à un moment donné.

Je souris.

— Non, il m'a juste hurlé dessus pendant dix-huit mois, répondis-je. Il ne demande jamais rien directement. J'ai simplement appris à savoir ce qu'il veut, parce que c'est un enfant qui obéit à des routines excessivement précises que je commence à connaître.

Pour être juste, ils remarquèrent de nombreuses choses qui nous avaient échappé. Nous savions, par exemple, que Fraser avait une très bonne vue et repérait des objets de très loin, mais nous ne nous étions pas rendu compte que, si on pointait un objet, il refusait de suivre la direction qu'on lui indiquait. Lorsqu'il travaillait avec les infirmières, il ne se sentait jamais concerné par ce genre de geste. On nous donna également d'autres indices qui se révélèrent exacts.

Quelqu'un nous expliqua, en particulier, que Fraser était plus déterminé à ne pas faire une chose plutôt qu'à en faire une. Je n'ai pu m'empêcher d'acquiescer. Lorsque nous partions en voiture, il faisait tout son possible pour ne pas s'endormir, par exemple. C'était pareil lorsqu'il était dans sa poussette ou un lit qui n'était pas le sien. C'était un peu comme s'il prenait une décision consciente : *Je sais ce que vous voulez, mais moi je ne veux pas et je vais faire tout mon possible pour ne pas le faire.*

Ce fut une semaine très étrange. C'était bizarre de regarder les gens qui parlaient avec Fraser pour essayer de communiquer avec lui avant de gribouiller des notes dans leur carnet. D'une certaine manière, je me sentais coupable de laisser des inconnus le traiter comme un cobaye. Pourtant, nous avions besoin de réponses, et c'était le seul moyen de les obtenir.

À la fin de la semaine, Chris et moi fûmes invités à Aberdeen pour discuter de l'avenir de Fraser avec les spécialistes. C'est un jour qui restera à jamais gravé dans nos mémoires.

On laissa Fraser à la maison avec la mère de Chris. On entra dans une pièce où dominait une grande table d'acajou ovale, avec douze ou treize personnes déjà installées tout autour. Toutes sortes de thérapeutes et de spécialistes avaient travaillé avec Fraser, et chacun avait son témoignage à apporter. Tout était résumé dans un énorme rapport qu'on me remit au début de la réunion. La lecture en était dévastatrice.

De nouveau, une grande partie du texte ne faisait que confirmer ce que nous savions. Le psychologue, par exemple, avait remarqué que Fraser avait du mal à communiquer avec les inconnus et en avait peur. Nous ne pouvions qu'acquiescer. Nous avions passé des heures et des heures à réconforter Fraser, un jour où un employé était venu effectuer un relevé sans prévenir.

Il avait également remarqué que Fraser avait des communications sociales très succinctes et que son vocabulaire se limitait à vingt-cinq mots. De nouveau, cela ne nous apprenait rien. Et moi, je connaissais également ses vingt-cinq manières de crier et de beugler. C'était sa seule et unique forme de communication.

Les médecins remarquèrent également que Fraser éprouvait d'énormes difficultés avec de nombreux objets de la vie quotidienne, les tasses, surtout. Il ne voulait boire que dans une tasse particulière et devenait imprévisible si on lui en donnait une autre.

De nouveau, cela confirmait une réalité que nous ne connaissions que trop bien. J'avais acheté des dizaines et des dizaines de tasses avant d'en trouver une qui lui convienne. J'ai toujours une étagère pleine des tasses rejetées.

Une des choses que nous ne savions pas, cependant, concernait la période où il s'était conduit de manière très étrange à l'âge de huit ou neuf mois. De temps en temps, il ramenait ses genoux contre son corps, puis tapait lourdement les pieds par terre. Ce phénomène avait déjà été remarqué par notre médecin qui était venu discuter avec nous pendant la semaine. À l'époque, les médecins pensaient que c'était une manifestation de ce qu'ils appelaient « une rigidité tonique des membres ». Là, en désaccord avec cette analyse, les spécialistes pensaient qu'il pouvait s'agir de symptômes de crise d'épilepsie.

Nous savions que leurs conclusions allaient être un élément-clé, car elles auraient un immense impact sur l'avenir de Fraser. Ils confirmèrent nos craintes les plus terribles.

En conclusion, le rapport disait dans leur phraséologie que Fraser souffrait de troubles du spectre autistique. Il soulignait également les problèmes comportementaux et mettait un nom sur un problème que nous avions remarqué depuis des mois : l'hypotonie musculaire.

Pendant que nous absorbions toutes ces informations tout en discutant avec les spécialistes, le verdict me semblait dramatique. Nous ne savions pas si Fraser allait marcher correctement un jour. La thérapie pourrait l'aider, mais, comme pour le langage, il n'y avait aucune garantie. Un des intervenants affirmait qu'en fait, cela dépendrait uniquement de Fraser. Il dit qu'il avait une forte volonté et qu'il parlerait le jour où il serait prêt à le faire.

En matière d'éducation, la conclusion était beaucoup plus tranchée :

— Fraser ne sera jamais capable de suivre un enseignement traditionnel, dit une intervenante.

Je me souviens encore de cette phrase qui tomba comme un couperet. C'était comme si on nous avait enfoncé un poignard dans le cœur.

La femme nous avait annoncé cette nouvelle sans méchanceté ; elle faisait simplement son travail et nous disait la vérité telle qu'elle était. Cela ne nous plaisait peut-être pas, mais nous avions besoin de l'entendre.

Par bien des manières, ce fut un moment paradoxal. Chris et moi étions désespérés. Comme tous les parents, nous nourrissions des espoirs et des rêves pour notre enfant. La demi-heure passée dans cette pièce les anéantit tous.

Cependant, j'éprouvais en même temps un sentiment de revanche. Pendant longtemps, tout le monde avait refusé de me croire. À présent, les spécialistes les plus prestigieux dans leur domaine confirmaient ce que je soupçonnais depuis dix-huit mois. Tous ceux qui m'avaient dit que j'étais névrosée et trouvaient que je réagissais de manière excessive se trompaient. Il y avait un second point positif : ce diagnostic signifiait que nous allions obtenir de l'aide pour nous occuper de Fraser. Après avoir supporté sa charge exclusive pendant plus d'un an et demi, je me voyais offrir une aide professionnelle sous la forme d'un kinésithérapeute, d'un ergonome et d'un orthophoniste.

À Balmoral, le *Factor* nous apporta aussi une aide précieuse. Il nous demandait toujours des nouvelles de Fraser, et, lorsqu'on lui fit part du diagnostic, il fit tout son possible pour nous venir en aide.

La maison du gardien n'était guère idéale. Tout d'abord, Fraser était incapable de monter ou descendre l'escalier et, si Chris n'était pas là, je devais le porter dans le vieil escalier de pierre biscornu pour accéder à sa chambre. L'escalier tournait sur lui-même deux fois par étage. Porter un poids mort était une épreuve, et j'avais parfois l'impression de devoir soulever des montagnes.

En dehors de cela, c'était un bâtiment très froid, tout en pierres, si bien que Fraser était gelé lorsqu'il était allongé sur le sol. Nous avions mis des tapis, mais, comme il y avait un vide sous les dalles, la maison était glaciale le matin et la nuit.

Dernier problème et non des moindres : les pièces étaient très sombres. Une des premières démarches des médecins, même avant notre séjour à Aberdeen, avait consisté à fournir une chaise orthopédique qui lui offrait plus de support.

Hélas, les fenêtres étaient très hautes, et Fraser ne pouvait pas voir à l'extérieur. En accord avec ces thérapeutes, Chris et moi pensions qu'il n'était pas souhaitable qu'un enfant qui avait besoin de stimulations reste dans le noir. Pour lui, cette maison était une sorte de prison, car il ne pouvait pas regarder dehors.

Lorsque je lui expliquai ce dernier problème, le *Factor* se montra très compréhensif. Il nous dit qu'il chercherait une solution et songea à un endroit qu'il estimait adapté, une des maisons du domaine, à quelques kilomètres de Balmoral, sur des terres ouvertes près de Ballater. L'ancienne employée qui y vivait était devenue trop âgée, trop fragile et venait d'être admise dans une maison de retraite.

Le *Factor* vérifia et décida qu'il n'y avait pas beaucoup de questions à se poser : la maison était de plain-pied, les fenêtres étaient basses, et les pièces, lumineuses.

Cela apporta une grande amélioration pour tout le monde. La maison nous offrit une nouvelle stimulation, d'autant plus que Fraser commença à profiter de l'aide de nombreux thérapeutes.

Avec le recul, je vois que cette période nous a permis une réelle avancée. Pendant un an et demi, nous avions été livrés à notre sort. Tout en sachant que quelque chose clochait, nous ne disposions de l'aide d'aucun spécialiste pour nous aider à résoudre les problèmes de notre fils.

Le diagnostic officiel avait tout changé. Nous n'étions plus seuls et nous avons commencé à rencontrer des personnes de talent. L'une d'entre elles sortait du lot : une kinésithérapeute nommée Helen.

Un des spécialistes d'Aberdeen pensait que les problèmes que Fraser éprouvait pour se tenir debout et marcher étaient liés à son développement général. Il nous conseilla de nous montrer patients et d'attendre.

— Il marchera quand il en aura envie ; il est simplement très têtu, dit-il.

Mais, quand Helen commença à travailler avec lui, elle manifesta son désaccord.

— C'est plus grave que ça, affirma-t-elle.

Elle découvrit rapidement que Fraser avait un problème aux chevilles. Trop souples, elles pouvaient pivoter selon un angle de presque trois cent soixante degrés. À cause de l'hypotonie et du manque de tonicité musculaire, les chevilles étaient si souples que, lorsqu'il essayait de se tenir debout, elles lâchaient.

C'était la même chose lorsqu'il essayait d'attraper des objets. Cela faisait penser aux jeux de fêtes foraines où l'on doit attraper des objets comme une peluche ou une petite voiture avec une sorte de canne à pêche.

Dès qu'on baisse l'engin et qu'il entre en contact avec le jouet, il devient tout mou, et la manœuvre devient impossible. On n'a plus prise sur rien. C'était le même phénomène. Fraser était incapable de supporter son poids et encore moins de marcher.

— C'est pour ça qu'il ne marche pas. Cela n'a rien à voir avec son développement intellectuel. Il en est incapable, physiquement, nous affirma Helen.

Elle recommanda qu'on lui fasse fabriquer des orthèses particulières pour soutenir ses chevilles.

Le spécialiste n'était pas d'accord, rien d'étonnant à cela, mais Helen passa au-dessus de sa tête. Elle se battit bec et ongles et finit par gagner. Fraser eut ses attelles, et, très rapidement, il put se tenir debout et faire ses premiers pas. Sans Helen, nous aurions peut-être attendu des mois, voire des années, pour obtenir ce résultat.

Ce qui était remarquable chez Helen, c'était son charisme. Très New Age, elle avait des cheveux longs et portait des boucles d'oreilles qui tintaient. Elle avait une influence très apaisante et très positive sur nos vies et savait vraiment s'y prendre avec Fraser. Elle réussissait à le calmer.

Les autres thérapeutes devaient accomplir de gros efforts pour que Fraser leur fasse confiance et, parfois, il les prenait en grippe. Il refusait même de se laisser toucher par l'un d'eux, ce qui posait des problèmes, bien entendu.

Avec Helen, le contact s'établit presque instantanément. Elle sut gagner sa confiance dès le premier jour.

Près de deux ans se sont écoulés depuis, et Helen est passée à autre chose, mais je ne peux m'empêcher de penser à elle lorsque je vois Fraser et Billy ensemble. Ils semblent avoir ce même lien naturel, ce même niveau de confiance. Et plus Billy s'installait, plus ce lien se renforçait.

Après avoir survécu pendant les six premières semaines, Billy commençait vraiment à se détendre et à se plaire chez nous. Avec le beau temps, il passait des heures à explorer le jardin, les arbres et les buissons alentour. À notre immense surprise, cela eut un impact presque immédiat sur le comportement de Fraser.

Fraser n'appréciait guère d'aller dans le jardin. Cela l'effrayait sans doute et il préférait rester dans la sécurité des murs. Cela nous ennuyait beaucoup, Chris et moi, surtout par beau temps.

Nous appréciions cette maison parce qu'elle était à l'écart de la route et que nous avions un beau terrain et une magnifique pelouse. Nous installions Fraser sur une couverture dans le jardin pour qu'il puisse profiter du grand air. En général, il ne voulait pas rester. Il se mettait à crier jusqu'à ce qu'on le ramène à l'intérieur ou rampait jusqu'à la maison et se réfugiait sous le porche, où il pouvait faire tourner la roue de sa poussette. Dans ces occasions, il était tout à fait déterminé à ne pas faire ce que nous voulions et accomplissait tous les efforts possibles pour s'y opposer.

Pourtant, par une belle soirée ensoleillée, trois semaines après l'arrivée de Billy environ, Chris et moi, on décida de passer une petite heure dans le jardin.

Le temps était somptueux, et le soleil pointait encore à travers les branches de la vaste forêt de pins qui s'étendait d'est en ouest.

Pendant quelques minutes, nous profitions d'un peu de repos, sachant que tout allait bien dans la famille. Fraser regardait la télévision à l'intérieur.

Pippa, qui avait maintenant huit mois, venait de terminer son goûter et faisait la sieste à l'étage. Billy se promenait dans le jardin quelque part. Tout était calme, aussi calme que possible dans notre maisonnée.

Nous n'étions là que depuis quelques instants lorsque j'aperçus une silhouette dans l'encadrement de la porte.

— Chris, regarde, dis-je en lui donnant un léger coup de coude.

Fraser était sorti seul du salon, mais il ne manifestait aucun signe d'agitation. En fait, il semblait calme et satisfait. Il resta assis un instant, à faire tourner la roue de sa poussette renversée sous le porche tout en tendant le cou pour voir ce qui se passait dans le jardin.

Quelques minutes plus tard, il avança de quelques pas et scruta les lieux. Ensuite, il se mit à appeler :

— Billy ! Billy !

Comme moi, Chris sourit et attendit.

De son point d'observation, Fraser ne voyait pas tout le jardin. Alors, il se redressa et accomplit quelques pas chancelants pour avancer un peu. Il scruta les buissons, à la recherche de son copain.

— Billy, où t'es ? Billy ? disait-il de temps en temps.

Chris était sur le point d'aller chercher le plaid, mais je le retins et lui dis de s'asseoir.

— Laisse-lui une minute. On verra bien ce qui va se passer.

Tout d'un coup, il y eut comme un remous dans les buissons, sur le côté de la maison. Billy apparut, quelque peu hirsute. Il avait des brindilles dans sa fourrure et semblait un peu essoufflé, comme s'il venait de courir. Il remarqua immédiatement Fraser et trottina vers lui. À ce moment, Fraser se hasarda à descendre l'unique marche et fit quelques pas sur la pelouse. Proche de sa limite d'autonomie, il s'agenouilla et attendit que son ami le rejoigne.

— Bonjour, Billy, dit-il.

Puis il commença à chuchoter, retournant au langage secret qu'ils semblaient avoir mis au point.

Chris s'approcha de Fraser et l'aida à traverser la pelouse et à s'installer sur le plaid. Naturellement, Billy suivit le mouvement.

Pendant une vingtaine de minutes, les deux larrons se cajolèrent mutuellement et chahutèrent dans la lumière du soir.

Pour nous, c'était une bénédiction, non seulement parce que cela nous offrait une pause bien méritée, mais aussi parce que cela confirmait ce que nous avions remarqué au cours des derniers jours.

Fraser avait des réactions caractéristiques ; il répondait très bien aux stimulations, en particulier. Si on lui donnait une bonne raison de faire quelque chose, il y avait de grandes chances qu'il s'y plie. Billy lui avait donné l'envie de se lever et de bouger. Parfois, Billy allait faire un tour à la buanderie ou à la cuisine lorsque Fraser regardait la télévision. Sans la moindre protestation, sans la moindre réticence, Fraser le suivait. Si on avait demandé à Fraser de venir dans la buanderie ou la cuisine, il ne se serait sans doute jamais déplacé. Mais, comme Billy s'y trouvait, il devait y avoir quelque chose d'intéressant à voir et il venait vérifier.

On assistait désormais à de nouveaux progrès : pour suivre Billy, Fraser s'aventurait dans le jardin.

Pour la plupart des parents, cela n'aurait été qu'un détail insignifiant, mais, pour nous, c'était un pas de géant. Nous étions ravis.

Ce soir-là, on resta dans le jardin jusqu'au crépuscule.

— Tu as envoyé un courriel à Liz pour lui confirmer qu'on gardait Billy ? demanda Chris.

— Non, pas encore.

— Je crois qu'il est temps de le faire, dit-il en me serrant la main.

5

La cordelette oubliée

Par un beau matin d'août, vers dix heures, je pris l'aspirateur et me dirigeai vers la chambre de Fraser. Je l'avais déposé à la maternelle une demi-heure plus tôt, et Pippa jouait tranquillement dans la pièce d'à côté avec ses petits cubes encastrables, si bien que je profitai de ce moment de tranquillité pour changer les draps et nettoyer la chambre avant de me préparer une tasse de thé.

Toute pensée d'une matinée reposante s'évanouit dès que je vis la table de chevet en entrant dans la chambre.

— Oh non ! m'exclamai-je, désespérée. Il a oublié sa cordelette !

Cette cordelette rouge tenait un rôle crucial depuis plus d'un an et demi dans la vie de Fraser.

La plupart des enfants ont un objet favori, doudou ou ours en peluche, et Dieu sait que j'ai proposé une quantité industrielle de jouets à Fraser pour qu'il en choisisse un, mais aucun ne trouvait grâce à ses yeux, et rien ne l'attirait autant que ce bout de lacet rouge de quarante centimètres de long. Il l'emportait presque partout.

D'une certaine manière, cet objet lui servait de mécanisme de défense. Lorsqu'il était anxieux ou agité, Fraser lui imprimait une forme de lasso, comme pour se sortir de ce qui se passait autour de lui. Ce geste est banal chez les enfants autistes ; cela leur offre une sorte de stimulation. Fraser tendait les bras derrière le dos et faisait tourner la corde à une vitesse impressionnante. C'était un spectacle fascinant, et je suis certaine que l'effet était encore plus hypnotique sur lui. Pendant qu'il faisait tourner sa corde, il s'isolait dans un autre monde.

C'était presque sa seconde cordelette, en fait. Le précurseur avait été une bandelette de plastique qu'il avait arrachée à sa poussette et qu'il emportait partout lorsqu'il avait un an. Il l'avait toujours avec lui à Aberdeen, ce qui avait intrigué les médecins. Depuis, elle avait été remplacée dans son cœur par cette cordelette.

Je ne savais pas d'où elle venait. Je savais simplement qu'il y était aussi lié qu'au cordon ombilical de sa naissance.

Comme elle mesurait plus de soixante centimètres lorsque Fraser avait commencé à jouer avec, Chris et moi avions fait quelques nœuds pour la raccourcir. Fraser emportait souvent la corde dans son lit et nous ne voulions pas qu'il risque de s'étrangler.

C'était terrifiant, mais savoir qu'il avait oublié cette cordelette était peut-être plus terrifiant encore. Chris et moi étions hystériques avec ce bout de ficelle, mais à juste titre. Les incidents les plus mineurs pouvaient mettre Fraser en rage. Je n'arrivais pas à imaginer la crise qu'il allait nous faire s'il ne la trouvait pas.

En voyant la cordelette près de son lit, je fus prise de panique. *Il va s'affoler !* pensai-je. Quelques instants plus tard, néanmoins, la panique céda le pas à la perplexité.

Pourquoi ne me l'avait-il pas signalé plus tôt dans la voiture ? me demandai-je. Sans que je sache pourquoi, Fraser n'aimait pas emporter sa cordelette à la maternelle et insistait pour la laisser tous les matins au même endroit, sur la banquette arrière de la voiture.

Il fallait qu'elle soit là, toujours à la même place, pour qu'il la retrouve à la sortie quelques heures plus tard. C'était étrange qu'il n'ait pas mentionné son absence ce matin.

Je me rendis à la cuisine et mis la bouilloire sur le feu. Plus j'y réfléchissais en préparant mon thé, plus mon anxiété se dissipait. *Réfléchis, Louise*, me dis-je. *S'il avait voulu l'emporter et l'avait oubliée, il te l'aurait fait comprendre rapidement. Il aurait piqué une crise dans la voiture, et tu aurais sans doute dû faire demi-tour pour aller la chercher. Mais il n'avait pas pipé !*

Je décidai donc de la laisser là où elle était en attendant de voir par quoi elle avait été remplacée. Fraser était toujours imprévisible. Il avait sans doute trouvé un autre mécanisme de défense. Il avait peut-être simplement déniché une autre cordelette. Je n'avais aucun moyen de savoir. Je repoussai cette pensée au fond de mon esprit et repris mon ménage et ma routine matinale.

J'avais bien assez de soucis sans ça. On nous offrait enfin une maison sur les terres de Balmoral proprement dites, et nous n'étions qu'à quelques semaines du déménagement. Les étagères commençaient à se dégarnir, et les cartons, à s'empiler dans toutes les pièces de la maison. Ma mère allait venir m'aider, ce qui était une bénédiction, mais, dans la chambre de Fraser surtout, j'avais deux ans d'objets accumulés à trier.

Assise au milieu des boîtes de jouets, je ne pouvais m'empêcher de hocher la tête en repensant aux efforts vains que Chris et moi avions accompli pour intéresser Fraser.

Même avant le diagnostic officiel, j'avais cherché sur tous les sites Web possibles et imaginables les jouets qui pourraient être adaptés aux enfants autistes. Aucun d'eux n'avait attiré son attention.

À un moment donné, nous avions posé sur le sol de sa chambre un linoléum qui représentait une route avec un hôpital, une caserne de pompiers et toutes sortes de bâtiments. Nous pensions qu'il pourrait s'y asseoir, comme tous les autres petits garçons, et qu'il ferait rouler ses petites voitures et ses camions le long de la route.

Rien de tel ne se produisit. Lorsqu'on entrait dans sa chambre, on le trouvait assis par terre, tenant les voitures à l'envers et faisant tourner les roues. Ou alors, il laissait totalement tomber ses voitures et faisait tournoyer cette fichue cordelette. C'était désespérant.

J'avais donc fini par apprendre à ne plus lui acheter de jouets. Ce n'était pas par radinerie, mais simplement parce que je ne savais pas ce qui lui plairait. Lorsque je passais dans une braderie et que je voyais quelque chose qui pourrait l'intéresser, je me disais : *Tiens, je vais essayer ça !* Je n'étais jamais sûre de rien.

Je remportais d'étranges succès. L'une des plus grandes réussites fut le petit mètre déroulant de Bob le bricoleur, que j'avais acquis pour vingt-cinq pence. Fraser l'avait trouvé tout seul en fouillant dans une caisse d'objets d'occasion d'une vente de charité à Ballater.

Il passait des heures à jouer avec cet objet. Il se contentait de le tirer et de laisser s'enrouler à nouveau, encore et encore. C'était le genre de choses qui plaisaient à Fraser. Des objets dotés d'un mécanisme qu'il pouvait faire fonctionner de manière répétitive.

Mais la plupart de ses jouets le laissaient indifférent. En débarrassant la chambre ce matin-là, je regardai l'ampoule avec un poisson de plastique à l'intérieur, que j'avais donnée à Fraser pour lui offrir une stimulation sensorielle. Je l'avais placée dans un coin de sa chambre avec des jouets interactifs qu'un de ses thérapeutes avait recommandés pour favoriser la coordination et le mouvement musculaire. C'était tout juste s'il avait remarqué l'existence de la lampe et des jouets. De toute façon, il s'asseyait rarement dans ce coin.

Lorsque je retournai à Ballater pour aller chercher Fraser une heure plus tard, j'avais totalement oublié la cordelette. Il n'en parla pas non plus.

Ce ne fut qu'en bavardant avec Chris le soir même que le sujet revint dans la conversation. Au début de mon récit, Chris sembla horrifié, mais il finit par vite comprendre que Fraser ne serait pas parti sans savoir où se trouvait sa cordelette. Lorsqu'on le coucha, on remarqua qu'elle se trouvait toujours exactement au même endroit, sur la table de chevet.

Nous étions intrigués, mais pas très inquiets. C'était le monde de Fraser, après tout. Depuis longtemps, on s'attendait à l'inattendu. On entrait souvent dans la chambre le matin pour trouver la cordelette sur l'oreiller, sur le dessus-de-lit ou même par terre, car il lui arrivait de jouer avec elle la nuit. Le lendemain, cependant, la cordelette resta dans la même position, sans avoir été touchée. Le surlendemain aussi.

Ce ne fut que pendant le week-end qu'on comprit que Fraser venait sans doute de franchir un cap.

— Je me demande pourquoi il a cessé de s'intéresser à cette cordelette, dit Chris en savourant le curry habituel du samedi soir.

— On nous disait que c'était un mécanisme de défense ; alors, il est peut-être moins anxieux en ce moment.

— Tu crois ? Ce n'est pas ce que disent les thérapeutes, non ?

C'était pourtant la vérité. Fraser allait régulièrement à la maternelle depuis presque dix mois, depuis octobre 2010. Ses thérapeutes nous avaient recommandé de le mettre dans une crèche pour favoriser la communication avec les autres et les interactions sociales.

Les maternelles traditionnelles étaient hors de question, car elles ne l'accepteraient pas avant l'âge de trois ans et demi, de toute façon. On essaya d'obtenir l'aide de la municipalité pour le faire entrer dans une école privée, mais on se heurta à un mur et il fallut trouver les financements nous-mêmes.

On trouva une magnifique maternelle à Ballater, et on s'arrangea pour l'y placer le minimum possible, c'est-à-dire deux jours par semaine. Chris et moi payions pour une journée, et les parents de Chris nous avaient proposé de régler la seconde. Le personnel s'était beaucoup attaché à Fraser, et, malgré les problèmes comme toujours avec lui, cela fonctionnait très bien de notre côté. D'autant plus que cela me laissait quelques heures de liberté deux fois par semaine.

Bien entendu, on ne peut pas prétendre que Fraser était parfaitement adapté. Le dernier rapport de l'orthophoniste, Marie, quelques semaines avant l'arrivée de Billy, avait noté de véritables progrès dans son utilisation du langage, mais qui restaient cohérents avec son autisme.

S'il commençait à utiliser ce qu'elle désignait sous les termes de « phrases charmantes », il était toujours incapable d'utiliser des mots simples comme oui ou non. Mais j'étais familiarisée avec cet aspect de sa personnalité.

Le plus inquiétant, c'est qu'elle le décrivait comme toujours distant et isolé, à l'écart des autres enfants, et disait qu'il préférait rester seul. Il reproduisait à la crèche les attitudes qu'il adoptait à la maison, et la thérapeute signalait que Fraser continuait à se balancer et à se couvrir les oreilles lorsqu'il était énervé.

Tout cela suggérait que Chris avait raison. Rien ne justifiait l'abandon soudain de cette corde. Il avait toujours besoin de ces mécanismes de défense et de ces échappatoires lorsqu'il revenait de la maternelle.

On resta perdus dans nos pensées pendant un moment. Ce n'était pas inhabituel, surtout lorsqu'il s'agissait de Fraser. Il nous avait toujours donné matière à réflexion.

— Il a peut-être simplement grandi, conclut Chris.

— Peut-être.

— Essayons d'être logiques. Qu'est-ce qui a changé au cours des derniers mois ?

Le silence qui suivit fut interrompu par les grattements de Billy à la porte.

On se regarda et on hocha la tête presque simultanément.

— Non, dit Chris en me souriant et en se levant pour aller ouvrir la porte à Billy qui venait de passer quelques heures à se promener dans la semi-obscurité. Ça ne peut pas venir que de cela, non ?

Chris pouvait bien se montrer aussi prudent et aussi logique qu'il le voulait, à mon avis, il était indéniable que Billy avait eu un impact sur toute la maisonnée en général et sur Fraser en particulier. L'évidence était trop flagrante pour qu'on l'ignore.

L'arrivée de Billy avait coïncidé avec une époque très agitée dans notre famille. Fraser demandait notre attention vingt-quatre heures sur vingt-quatre, sept jours sur sept, alors que Pippa grandissait rapidement. C'était un amour absolu, et elle me faisait beaucoup rire.

Elle passait beaucoup de temps dans son rocking-chair préféré et s'endormait souvent avec une jambe par-dessus un bras du fauteuil, la main derrière la tête, comme si elle posait pour un magazine de mode.

J'avais pris l'habitude de l'emmener dans une crèche, où elle semblait fascinée par les autres enfants. Et je devais bien entendu m'occuper de la petite affaire du déménagement. Pourtant, tout cela se déroulait de manière ordonnée, sans trop de stress. Il n'aurait jamais pu en être ainsi un an ou deux auparavant.

Que Billy ait une influence aussi positive et apaisante sur Fraser jouait un grand rôle dans cette atmosphère, j'en étais convaincue.

Parfois, la présence de Billy permettait de distraire Fraser et de communiquer avec lui. À d'autres moments, plus intenses, il semblait carrément prendre en charge une partie de sa colère. Peu à peu, les crises se limitaient à une intensité de six et atteignaient rarement les neuf ou dix auxquels nous étions accoutumés.

Il était prématuré de se demander si Billy avait un impact plus profond que ces simples faits. Pourtant, je n'étais pas la seule à reconnaître son influence.

Quelques jours avant le déménagement, ma mère vint passer une semaine avec nous pour m'aider à boucler les bagages et à m'occuper des enfants pendant le chaos inévitable. Un matin, nous prenions une tasse de café à la cuisine. C'était une récompense bien méritée. Nous venions de terminer notre routine matinale. Comme d'habitude, Chris s'était levé le premier et avait donné ses céréales et ses toasts à Fraser, coupés en triangles, comme il le voulait. Ensuite, il avait mangé son yaourt et bu son jus d'orange. Puis, Chris lui avait lavé les mains et avait rangé son bavoir, comme Fraser le voulait. C'était une routine que nous avions élaborée grâce à notre méthode « essais et horreurs ».

Comme c'était un jour où Fraser n'allait pas à la maternelle, il regardait la télévision allongé sur le tapis, comme d'habitude. Il semblait satisfait.

Maman était installée sur son fauteuil préféré au salon, un peu plus haut et un peu plus large que le divan de cuir que j'aimais bien. Billy baguenaudait dans la pièce, mais tout était calme. Tout changea en un instant lorsque Billy décida, sans aucune raison apparente, d'aller s'asseoir sur les genoux de maman.

Maman a très peur des chats depuis un incident qui s'est produit lorsqu'elle était enceinte de moi. Un beau jour, un chat avait atterri sur son gros ventre et lui avait causé une peur bleue. Depuis, elle refusait qu'un chat vienne s'installer sur ses genoux. Lorsque Billy s'approcha et sauta en l'air, pattes en avant, le résultat était fort prévisible. Le début, du moins.

C'est une scène qui reste gravée dans mon esprit. À un instant, ma mère était bien installée sur son fauteuil, en pyjama, un café à la main, et l'instant suivant, Billy lui sautait dessus, posant une patte sur sa cuisse et l'autre directement dans la tasse de café.

Maman hurla. La tasse valdingua dans les airs, renversant du café brûlant partout.

Ce fut un moment de pur chaos. Agitée, ma mère essayait de tout essuyer. Je me levai d'un bond, me demandant où était tombé le café et si personne n'avait été brûlé.

Ce fut la réaction de Fraser qui restera inoubliable. Comme il se trouvait à l'autre bout de la pièce, il était à l'abri du café brûlant. Je me demandais comment il allait réagir, mais, soudain, il éclata de rire.

Fraser appelait maman « Cokey », car elle lui chantait toujours une vieille chanson, *Okey Cokey*.

— Billy est dans le café de Cokey, dit-il.

J'échangeai un regard avec ma mère, et on se mit à rire toutes les deux.

— Tu as raison, Fraser.

— Billy est dans le café de Cokey, répéta-t-il, riant encore plus fort.

Seul Billy resta insensible au rire contagieux qui se propageait dans toute la pièce. On se serait attendu à ce qu'il s'enfuie, la queue entre les jambes, mais il n'en fut rien. Il s'était simplement réfugié dans un coin, où il se léchait méticuleusement.

— C'est ça l'avantage d'avoir un animal à la maison, j'imagine, dit ma mère en s'essuyant avec un linge humide à la cuisine pendant que je faisais la vaisselle.

— Qu'est-ce que tu veux dire ?

— Ils sont parfois pénibles, mais ils ne font pas sourire à moitié les visages les plus tristes !

Elle avait absolument raison. Deux ans auparavant, un an plus tôt, même, nous étions toujours isolés, en permanence sur le qui-vive. Nous étions toujours au bord de la crise, attendant l'explosion inévitable, essayant de surmonter les derniers développements de la saga de l'évolution médicale et de l'éducation de Fraser.

C'était exténuant. Par moments, Fraser absorbait jusqu'à la dernière goutte de mon énergie. Je suis sûre que je riais quand même de temps en temps, à cette période. Je ne suis pas sinistre à ce point ! Mais je ne me souviens pas d'avoir éprouvé des sentiments aussi légers et joyeux très souvent.

Mon esprit me jouait peut-être des tours. Pourtant, en y réfléchissant ce matin-là, il me semblait que, depuis l'arrivée de Billy, il y avait eu des dizaines d'occasions où il nous avait fait rire, ou du moins sourire, Chris et moi.

Deux jours plus tôt, dans le jardin, par exemple, on l'avait vu, totalement désemparé, tout en haut d'un arbre. On songeait déjà à appeler les pompiers pour le sauver quand, soudain, il sauta d'une branche et se retrouva sur le toit d'une des remises.

— Comment diable a-t-il pu faire ça ? demanda Chris, sourire aux lèvres.

Et ce matin, il avait fait rire tout le monde, y compris ma mère.

Je sais que Chris aurait hoché la tête d'un air désapprobateur si j'avais exprimé ma pensée à voix haute ; pourtant, j'en étais certaine, ce chat avait quelque chose de magique. J'étais ravie qu'il soit avec nous.

6

De nouveaux pâturages

En août 2011, un camion vint nous livrer nos meubles et, avec Chris, j'installai les enfants et les deux chats dans notre voiture bien encombrée. Ensemble, nous parcourûmes les dix kilomètres de Ballater au minuscule hameau d'Easter Balmoral, en bordure du domaine. C'était notre quatrième changement d'adresse en trois ans, mais cette fois nous avions bien l'impression d'avoir trouvé un foyer où Fraser et Pippa pourraient passer leur enfance.

Dans l'ensemble, les responsables du domaine avaient manifesté une grande générosité et beaucoup de compréhension face à nos problèmes avec Fraser. Nous n'aurions pas pu en espérer plus d'un employeur. Lorsque Chris avait eu besoin de temps pour se rendre à l'hôpital ou pour régler la dernière crise, tout le monde nous avait aidés.

Nous avons également obtenu beaucoup de soutien lorsqu'on avait demandé à déménager une fois de plus. Notre nouvelle habitation était une maison de deux étages, avec trois chambres, dans ce qui était, strictement parlant, la partie est de Balmoral, mais que tout le monde désignait sous le nom de « village ». La vingtaine de maisons, modernes pour certaines, datant du XIXe siècle pour d'autres, ne se trouvaient qu'à quelques centaines de mètres de la maison du portail dans laquelle nous nous étions installés trois ans auparavant, mais nous n'avions pas plus tôt terminé de décharger que, lorsque je mis la théière sur le feu pour la première fois, j'avais l'impression d'être chez moi. Je ne me voyais plus déménager avant longtemps.

La maison était moderne et chaleureuse, et les enfants avaient chacun une jolie chambre. Il y avait également une petite pelouse fermée par une palissade. Nous étions dans un petit groupe d'une demi-douzaine de maisons, et des familles avec de jeunes enfants résidaient dans le voisinage immédiat.

C'était l'endroit rêvé pour élever des enfants qui avaient tout l'espace nécessaire pour courir, faire de la bicyclette et profiter de la petite rivière le long de la route qui passait derrière la maison. Bien sûr, on pouvait visiter et explorer tout le domaine de Balmoral.

Se promener au domaine n'était pas envisageable lors des premières semaines. Nous avions emménagé au moment le plus agité de toute l'année : la période où la reine était en résidence, comme toujours, en août et en septembre. Le reste du temps, le domaine était accessible au public, et des visites étaient organisées pour le château. L'atmosphère était très détendue, et des bus entiers de touristes du monde entier se promenaient librement sur les terres.

Tout cela devenait impossible en présence de la reine. À tous les coins de la propriété, on voyait des Range Rover de la police aux vitres noires et des hommes avec des talkies-walkies. Nous disposions d'une entrée particulière pour notre maison, mais devions tout de même montrer nos papiers d'identité lors de nos allées et venues.

Cela signifiait également que Chris devait s'occuper des personnes de la Cour venues de Londres. Il disait toujours que l'atmosphère pendant ces deux mois était totalement différente.

Pendant la plus grande partie de l'année, il régnait en maître ou presque et passait son temps à installer du nouveau matériel et à rénover les circuits électriques. Lorsque la Cour était sur place, on l'appelait pour un oui ou pour un non.

— Cela fait partie du boulot, disait-il en haussant les épaules d'un air philosophe à la fin d'une journée marathon passée à réparer des fax ou à câbler un bureau de fortune pour un membre de la famille royale.

C'était un petit monde bizarre, à bien des égards. Nous vivions dans une sorte de bulle. Dans les environs de Balmoral et de Ballater, personne ne sourcillait jamais lorsque Chris disait qu'il travaillait pour la reine et vivait au domaine.

Dans la région, de nombreuses personnes avaient des relations privilégiées avec la famille royale. C'était l'un des plus gros employeurs de la région, et certaines familles entretenaient des liens avec la royauté depuis plus d'un siècle.

De nombreuses boutiques de la région avaient obtenu un mandat royal. La famille royale faisait partie de la communauté.

Mais, dès que nous quittions l'Écosse, tout changeait. Lorsque nous allions en Angleterre, les amis et la famille étaient fascinés par la vie que nous menions et demandaient toujours à Chris de leur raconter les derniers potins. Bien entendu, Chris étant Chris, il prétendait qu'il ne se passait rien d'étrange. Ce n'était pas qu'il n'eût rien à raconter, car il en savait beaucoup, mais, souvent, ce n'était pas vraiment amusant. Son sens du professionnalisme et de la responsabilité l'empêchait de commettre la moindre indiscrétion.

Beaucoup de gens pensaient que je connaissais moi aussi des histoires croquignolettes. Je disais souvent que j'allais me promener dans le domaine, si bien qu'ils imaginaient que je croisais la reine ou le duc d'Édimbourg tous les matins. En vérité, je n'avais aucun véritable contact avec la famille royale en dehors des quelques fêtes organisées pour le personnel.

Tout le monde s'installa rapidement dans sa nouvelle vie. Chris appréciait les instants supplémentaires qu'il pouvait passer au lit tous les matins. Il se rendait au travail en quelques minutes, ce qui était une bénédiction durant les mois d'hiver sombres et froids surtout.

Pippa semblait très heureuse et avait tout de suite adopté sa nouvelle chambre, où elle avait retrouvé ses jouets préférés. Âgée de neuf mois désormais, elle dormait toujours dans son petit lit, riait toute seule et gazouillait en regardant son mobile favori.

Comme d'habitude, ce fut Fraser qui dut relever le plus grand défi. Pour la première fois, sa chambre se trouvait à l'étage, ce qui posa immédiatement des problèmes. Malgré le soutien de ses orthèses, il était toujours incapable de monter toute une volée d'escalier.

Il n'en avait pas la force. Donc, si Chris ou moi n'étions pas dans les parages, il devait ramper pour monter et descendait sur ses fesses, boum, boum, boum, une marche à la fois.

Ce problème était sur ma liste des choses à régler. Chris avait déjà contacté un menuisier du domaine pour lui demander d'installer une rampe et ainsi aider Fraser à se promener dans la maison et surtout à monter l'escalier. Pourtant, il y avait tant d'autres problèmes urgents que cela ne semblait pas être une priorité à ce stade.

Tout d'abord, il fallait que Fraser s'habitue à l'ambiance différente. La vie était un peu plus animée au domaine, même pendant les dix mois d'absence de la reine. Étant donné l'aversion de Fraser pour les étrangers, je savais que cela poserait des difficultés. Par chance, les nouveaux visages ne lui étaient pas totalement inconnus.

Lorsque nous vivions au portail, il avait déjà vu les visages des personnes qui penchaient la tête vers sa poussette lorsque nous bavardions en chemin. Bien entendu, les gens se répandaient en compliments et le cajolaient. C'était un beau petit garçon.

En réalité, Fraser n'appréciait guère ces intrusions et pouvait devenir fou. Il refusait de regarder les gens et se mettait à crier à pleins poumons. Lorsqu'il était bébé, le phénomène était presque banal. Tous les bébés pleurent. Plus il grandissait, plus son comportement se révélait embarrassant et difficile à maîtriser. À plusieurs occasions, je dus m'excuser face à un pauvre touriste innocent et m'éclipser à toutes jambes pour que Fraser se calme.

Il était un peu moins phobique, mais le problème n'avait pas disparu. Je choisissais donc soigneusement mes moments pour l'emmener promener avec Pippa et j'évitais en général les heures d'affluence.

Les personnes qui venaient nous rendre visite à la maison posaient également un problème. Ce n'était pas nouveau. Quand un livreur arrivait à la porte, Fraser se sentait perturbé dès qu'il entendait la sonnette. La plupart du temps, il restait entre la porte et le salon et hurlait, car il avait peur qu'un étranger entre dans la maison et lui fasse je ne sais quoi.

Je devais donc toujours le rassurer lorsque j'attendais quelqu'un pour que tout se passe bien. La situation était souvent paradoxale. Lorsqu'il était vraiment perturbé, il ne voulait pas rester seul au salon ou à la cuisine ; il tenait à être avec moi. Si je devais ouvrir la porte, cela signifiait qu'il allait rencontrer la personne et serait encore plus perturbé si elle avait le malheur de ne pas lui plaire.

En en parlant avec les thérapeutes, nous en avons conclu que c'était lié à l'atmosphère de la maison. Lorsqu'une nouvelle personne arrivait, l'atmosphère changeait, et Fraser en était affecté. Son humeur changeait toujours après une visite, et il s'enfermait dans le silence et l'isolement. L'effet se prolongeait pendant des heures, et il se montrait souvent très difficile avec moi. Je devais anticiper autant que possible ces visites et prendre garde à bien le prévenir quand j'attendais quelqu'un.

Pour être juste, Fraser s'était un peu amélioré lors des dix-huit derniers mois, car il avait pris l'habitude de voir de nombreux thérapeutes. Pippa aussi avait souvent la visite de médecins. Et Fraser pouvait néanmoins être très perturbé par une irruption impromptue qui bouleversait sa routine. Dans nos autres maisons, en particulier celle de Ballater et le cottage dans les bois, les visites étaient rares et espacées. Au domaine, elles devinrent beaucoup plus fréquentes, qu'il s'agisse de voisins ou de membres du personnel.

C'était la mauvaise nouvelle. La bonne, c'était que désormais Billy était là pour calmer Fraser.

Après le déménagement, personne ne fut plus heureux que Billy. L'ancienne maison de Ballater était située sur un terrain relativement plat, non loin de la rivière. Il y avait quelques arbres, mais pas grand-chose d'autre à explorer. À Balmoral, c'était une tout autre histoire. Le domaine offrait un paysage spectaculaire, avec des landes de bruyères, des vallées et des forêts. Billy aimait toujours grimper aux arbres, bien entendu. Un jour, Fraser jouait sur le trampoline que nous lui avions installé dans le jardin. Ne pouvant guère sauter à cause de la fragilité de ses jambes, il restait debout et s'enfonçait et se soulevait légèrement tout en se tenant aux barreaux. Il s'y trouvait lorsqu'il sourit soudain et tendit le doigt vers le haut.

— C'est mon chat, dit-il.

Quand je levai les yeux, j'eus la peur de ma vie. Billy grimpait à un immense arbre très massif. Bientôt, à plus de quinze mètres de haut, il se balançait dans les branches.

— Oh mon Dieu, Billy ! Qu'est-ce que tu fiches là-haut ? Dis-je à voix haute.

Pendant une minute ou deux, je restai clouée sur place, le cœur battant, me demandant comment il allait s'en sortir. Mon imagination commença à s'affoler, et je le voyais déjà retombant sur la route, ou, pire encore, dans la rivière, emporté par le courant, sous les yeux de Fraser. Bien entendu, ce n'était qu'une stupide crise de paranoïa… Billy était dans son élément.

Il ne se sentait jamais plus heureux que perché sur une branche, à observer Fraser, comme s'il était son ange gardien. Inutile d'appeler les pompiers ! Un instant plus tard, il descendit nonchalamment le long du tronc, sautant sur les trois ou quatre derniers mètres et retombant sur le toit d'une petite remise de bois, au bord de la rivière, qu'on nous avait attribuée.

Mon cœur s'arrêta un instant lorsque je le vis flottant dans les airs.

Ce chat va finir par me faire avoir une crise cardiaque ! me dis-je.

Le paysage de Balmoral nous offrait à tous de nouveaux pâturages, mais, pour Billy, c'était un nouveau monde à explorer, et il ne s'en priva pas !

Au cours des premières semaines, il réapparut plusieurs fois sur le seuil de la porte, couvert de ce qui ressemblait à de minuscules pommes de pin emmêlées dans ses poils. Il avait dû hanter la forêt qui entourait le domaine. Souvent, il s'éclipsait pendant des heures et, pourtant, ni nous ni Fraser, surtout, ne semblions souffrir de son absence.

Le plus surprenant, c'était que Billy, d'une certaine manière, savait quand il devait être ou non « de service ». Par exemple, je ne le voyais pas une seconde pendant les journées que Fraser passait à la maternelle. Il était là tous les matins, lorsque Fraser était un peu inquiet en se préparant, mais on ne le revoyait guère plus avant le retour de Fraser. Il semblait savoir à quel moment il devait revenir et, à plusieurs reprises, on l'avait vu nous attendre devant la porte arrière lorsque nous revenions en voiture. Cela illuminait toujours le visage de Fraser d'un grand sourire.

— Mon Billy m'attend, disait-il.

Billy était là aussi la plupart du temps à l'heure du coucher. Semblant avoir compris que sa présence rassurait beaucoup Fraser, il se blottissait au pied du lit jusqu'à ce que son petit maître s'endorme.

Parfois, il y passait toute la nuit, mais, le plus souvent, il redescendait et allait se coucher quelque part ou sortait dans la nuit en passant par la chatière. Il revenait toujours néanmoins avant que Chris et moi allions nous coucher. De nouveau, il semblait connaître l'heure d'ouverture et de la fermeture de la porte du porche et arrivait toujours juste à temps. Le plus impressionnant, néanmoins, était le sixième sens qu'il avait développé pour tout ce qui concernait Fraser. Il sentait si Fraser était agité et apparaissait comme par magie chaque fois qu'on avait besoin de lui. L'une des premières soirées passées à Balmoral fut caractéristique à ce sujet.

Donner le bain à Fraser avait été compliqué dès le début. Il avait horreur d'être plongé dans l'eau, surtout si elle était chaude.

J'ai une photo de son premier bain, et on pourrait croire qu'on l'avait plongé dans une eau bouillante, mais il était tout rouge de colère et non pas parce qu'il avait été brûlé.

Si lui faire prendre un bain était difficile, lui laver les cheveux était épouvantable. C'était la chose qu'il détestait le plus au monde, et, pour Fraser, cela en disait des tonnes. Cela devenait si éprouvant que je n'y parvenais plus, surtout à la fin d'une longue journée.

Chris m'aidait souvent, mais il ne pouvait se résigner à cette épreuve plus d'une fois par semaine. Je savais qu'il devait se laver plus souvent et j'étais certaine que d'autres mères n'auraient pas hésité à me juger si elles avaient été au courant. À dire vrai, je m'en fichais un peu. Si donner le bain à leur enfant avait été une corvée si abyssale, elles auraient fait la même chose que moi.

Dans les dix-huit mois qui suivirent le diagnostic officiel, les choses s'étaient légèrement améliorées grâce à un petit siège en plastique qu'on nous avait donné pour offrir à Fraser un support supplémentaire. C'était toujours le même problème : la sensation de solidité. Si Fraser était anxieux, c'était parce qu'il était mal à l'aise dans l'eau. Il ne se sentait pas en sécurité, car il ne pouvait pas se tenir et il n'arrivait pas à rester assis tout seul. Cela signifiait que Chris ou moi, ou les deux parfois, devions le maintenir pendant que nous le lavions. Le siège en plastique changea tout. Une fois mieux soutenu, Fraser fut sûr qu'il n'allait pas tomber, et cela le rassura. Jusqu'à ce qu'on veuille lui laver les cheveux et lui pencher la tête en arrière, bien entendu ! Là, l'enfer se déchaîna de nouveau.

C'était la même histoire que pour les autres crises. Une fois que nous avions dépassé le « point noir », il était difficile de revenir en arrière. Donc, dès que je lui annonçais avant de lui faire prendre son bain que nous allions lui laver les cheveux, il se mettait à crier, à pleurer et à s'allonger sur le sol, raide de peur.

Même si nous renoncions, il devenait impossible de le mettre en pyjama. Parfois, nous ne parvenions même pas à le coucher. Il pouvait en résulter trois heures de stress absolu pour toute la famille. Nous avions donc appris à dissocier les deux étapes… avec un succès mitigé.

Un soir, peu après notre arrivée à Easter Balmoral, Chris et moi nous étions préparés à notre supplice hebdomadaire. Nous avions réussi à plonger Fraser dans son bain, mais, sans que l'on sache très bien pourquoi, il s'était énervé. Écarlate, il hurlait : « Non, non, non ! Touche pas mes cheveux ! » et se mettait les mains sur les oreilles. Chris et moi ne connaissions ces signes que trop bien. En fait, nous faisions face à une crise majeure : un onze sur dix !

— Ça ne sert à rien, dit Chris, exaspéré après avoir passé cinq minutes à ne rien faire d'autre qu'éviter les éclaboussures. On n'arrivera à rien ce soir. On ferait mieux d'arrêter.

J'étais encline à accepter. De plus, j'avais peur que nos nouveaux voisins n'appellent la police, car ils devaient croire qu'on essayait d'assassiner un enfant. Pippa, si facile à vivre en général, était perturbée, elle aussi. J'allais prendre la serviette de Fraser, lorsque je sentis une présence inhabituelle dans la salle de bain : Billy.

— Qu'est-ce que tu fiches ici ? demanda Chris, aussi surpris que moi.

À ma connaissance, Billy n'était jamais entré dans la salle de bain auparavant, pas plus que dans notre maison de Ballater.

Il se souciait fort peu de ce que nous pensions, et, voulant savoir ce qui arrivait à son copain Fraser, il se plaça près de la baignoire.

Chris et moi tenions toujours un Fraser en crise dans l'eau, mais on se poussa un peu pour faire de la place à Billy. Sous nos yeux incrédules, le chat se redressa et mit les deux pattes sur le bord de la baignoire. Il s'étira de toute sa hauteur et se pencha vers la surface de l'eau pour approcher sa tête du visage de Fraser.

Fraser était encore très agité, mais, comme d'habitude, Billy ne semblait pas perturbé par les hurlements. Il fit exactement ce qu'il aurait fait si tout avait été calme : il s'installa près de Fraser et resta là. Il fut bientôt trempé jusqu'aux os. À un moment donné, Fraser lui envoya du bain moussant à la figure qu'il se contenta de laver d'un coup de patte. Billy resta à son poste jusqu'à ce que Fraser se calme, ce qui finit par arriver.

— Regarde, tu vois ? Ça ne dérange pas Billy de mouiller ses poils, alors, pourquoi tu ne me laisserais pas mouiller tes cheveux ? dit Chris, saisissant l'occasion.

Fraser ne répondit rien, ce qui pour nous du moins correspondait à un grand oui.

Chris frotta doucement un peu de shampoing sur la tête de Fraser et le fit mousser pendant que je prenais une petite cruche en plastique pour le rincer.

C'était ce que Fraser redoutait le plus. La douche le terrifiait. C'est pourquoi nous utilisions une cruche à la place, mais cela restant une épreuve, nous nous attendions à un nouvel orage. Billy resta en place, offrant sa présence rassurante.

Je commençai à rincer le shampoing. En général, cela déclenchait la Troisième Guerre mondiale. Mais, cette fois, il me laissa le rincer sans rien dire. En fait, il fit même un pas de plus et pencha la tête en arrière pour faciliter le processus.

Si j'avais été croyante, j'aurais entonné un alléluia !

— Voilà, c'est fini, Fraser. Ce n'était pas si terrible, tu vois ? dit Chris, quelques instants plus tard, une serviette à la main.

Nous n'avions pas plus tôt sorti Fraser de l'eau pour l'entourer d'une serviette que Billy trottinait vers la chambre de Fraser, se préparant à la seconde étape de l'opération. Il était avec nous depuis assez longtemps pour savoir que Fraser mettrait plus de temps à s'endormir que d'habitude. Il devait avoir senti que sa présence pouvait faire une différence entre s'endormir en dix à quinze minutes ou plus d'une heure.

En général, j'aurais été agacée de voir des traces de pattes sur le palier et une tache mouillée sur le duvet de Fraser, mais là, cela ne me dérangea pas du tout. J'apportai même une autre serviette pour Billy que je frottai et caressai. Si quelqu'un le méritait, c'était bien lui !

— Qu'est-ce qu'on ferait sans toi ! dis-je en l'essuyant affectueusement.

7

À petits pas

Un soir, quelques semaines après notre installation au « village », je feuilletais les dernières pages du carnet de la maternelle de Fraser lorsqu'une information attira mon attention.

Le personnel avait tenu ce journal depuis son admission, un an plus tôt, pour nous informer de ce qui se passait au jour le jour ou pour noter les progrès accomplis. Avec le tohu-bohu du déménagement, je n'avais guère eu le temps d'y jeter plus d'un coup d'œil au cours des dernières semaines.

Ce qui me sauta aux yeux remontait à la semaine précédente, à la mi-août, au moment du déménagement. Une des assistantes avait noté que Fraser avait bu dans une tasse « sans couvercle ».

J'étais sidérée. Ce qui aurait été insignifiant pour toute autre maman me fit bondir de ma chaise. Comme je l'ai indiqué précédemment, les tasses étaient un sujet délicat avec Fraser ; il en avait toujours été ainsi. Il se montrait très maniaque non seulement avec la couleur et la forme, mais aussi avec la manière dont il pouvait s'en servir, en partie à cause de son hypotonie qui l'empêchait de tenir les objets. Lorsqu'il avait commencé à boire tout seul, malhabile, il prenait sa tasse à deux mains. Pour m'assurer qu'il ne renverse rien, j'avais ajouté un couvercle avec un bec verseur.

Il s'y était habitué et refusait désormais de boire dans un récipient sans bec. Jusqu'à ce jour, semblait-il. *Intéressant*, pensai-je en mettant une annotation dans l'espace réservé aux commentaires des parents.

Intriguée, je reculai dans ma lecture pour voir si je n'avais pas manqué des éléments importants. En relisant les dernières entrées, il devenait clair que Fraser commençait à s'amuser à la maternelle : certaines notes précisaient qu'il avait rejoint une ronde et avait chanté, qu'il avait participé au jardinage, qu'il était allé en promenade, ce qui était encore plus surprenant.

Mais une autre nouvelle me sauta aux yeux. Elle datait du 28 juin, lendemain de l'arrivée de Billy.

Fraser s'est lavé les mains tout seul après la récréation.

Fraser avait de nombreux particularismes auxquels le personnel s'était adapté, et son refus de se laver les mains en faisait partie.

Les assistantes maternelles avaient pris l'habitude d'utiliser des lingettes pour le nettoyer lorsqu'il avait les mains sales ou pleines de peinture. S'il avait appris à se laver les mains tout seul, c'était une avancée formidable.

Chris, qui avait eu une longue journée, regardait le journal télévisé.

— Chris, il se passe quelque chose à la maternelle.

— Quoi encore ?

— Ne t'inquiète pas, ce n'est pas un nouveau problème, au contraire. Regarde un peu, j'ai marqué les passages, dis-je en lui tendant le carnet.

— Humm, intéressant la manière dont il a commencé à faire tout cela tout seul !

— Tu as remarqué la date de la première entrée ?

— Non, pourquoi ?

— C'est le lendemain de l'arrivée de Billy.

Il m'adressa un de ses regards semi-désapprobateurs auxquels je commençais à m'habituer.

— Louise, ce n'est qu'une coïncidence ! Ce doit être parce qu'ils le lui apprennent à la maternelle. Il ne s'est pas mis à se laver les mains pour la première fois parce qu'on a adopté un chat.

Je me mordis la langue. Je n'avais aucun moyen d'avancer le début d'une preuve et encore moins d'expliquer le phénomène. Mais tout mon corps me criait qu'il y avait un lien.

Fraser n'était pas attendu à la maternelle avant quelques jours, mais je décidai d'aller bavarder avec Cath, la directrice, pour voir si elle avait noté des changements.

Cath nous avait toujours manifesté un soutien indéfectible. En fait, sans elle, je ne sais pas ce qu'on aurait fait avec Fraser en matière d'éducation.

Dans les jours sombres de l'établissement du diagnostic, nous ne savions pas dans quel établissement nous pourrions l'inscrire. On nous avait conseillé une école à Aboyne, considérée comme une « unité fondamentale » pour les enfants qui éprouvaient des problèmes comportementaux, psychologiques ou physiques.

Nous étions allés la visiter. L'école ne posait aucun problème, elle semblait bien équipée, mais nous ne pensions pas qu'elle conviendrait à Fraser. Tout d'abord, cela aurait signifié vingt-cinq kilomètres, aller et retour, donc près d'une heure de voiture tous les jours. De plus, les lieux me semblaient bien silencieux pour un enfant qui avait besoin de stimulations et d'activités tout autour de lui. Le problème, c'est qu'il n'y avait aucun autre établissement destiné aux enfants autistes. Pendant un moment, nous avons même envisagé de déménager près de Stonehaven, où il y avait une école spécialisée, la seule du genre au nord de l'Écosse.

Mais c'était sans doute inutile. Chris aurait dû changer de travail, et nous aurions dû acheter une nouvelle maison. De tels bouleversements n'étaient pas envisageables.

Par un coup du sort, Fraser ne pourrait pas entrer à l'école primaire avant l'âge de cinq ans et demi. La date de naissance maximale pour être admis était le 28 février, et, à cause de la longueur du travail, il n'était né que le lendemain 1er mars. Nous avions donc une année supplémentaire pour réfléchir à l'avenir. En attendant, nous devions trouver une solution.

Chris et moi étions allés visiter toutes sortes de maternelles, privées pour la plupart. À notre grand bonheur, la meilleure se trouvait à Ballater.

Ce n'était pas seulement parce que c'était la plus proche de notre domicile à l'époque, mais aussi parce que l'école avait pris Fraser en charge. C'était essentiellement dû à Cath, qui arriva peu après l'admission de Fraser.

Elle avait un fils de quinze ans, dont l'autisme avait été diagnostiqué à l'âge de cinq ans. Je lui ai parlé un peu de Fraser et de ses lubies, dont beaucoup lui semblaient classiques. Fraser aimait citer la couleur des voitures que l'on croisait sur la route, par exemple.

— Mon fils aussi faisait ça. Bientôt, Fraser vous donnera la marque.

C'était déjà le cas.

Habituée aux symptômes autistiques, elle pouvait anticiper certains des phénomènes. Elle savait par exemple que Fraser aurait tendance à rester à l'écart des autres, si bien qu'elle avait préparé un petit coin tranquille, où il pourrait se réfugier lorsqu'il se sentirait submergé par les autres. Elle y avait placé des livres et des objets qui tournaient. Fraser s'y réfugiait souvent ; cela l'aidait beaucoup.

Lorsque j'allai voir Cath, quelques jours après avoir lu le carnet, elle me sourit.

— Nous étions tous très contents. Je ne sais pas pourquoi il s'était sali dans la cour et, lorsqu'il est rentré en classe, il est allé ouvrir le robinet, dit-elle.

— Vraiment ? fis-je, incrédule, me demandant comment il avait trouvé la force de faire ce geste.

Je pensais qu'il en serait incapable à cause du manque de tonicité musculaire.

— Il a pris du savon, s'est lavé les mains et les a séchées. Et puis, il ne s'isole presque plus dans son petit coin, dit-elle. En fait, cela fait plusieurs semaines que je ne l'y ai pas vu.

— Quand est-ce que cela a commencé ?

— Il y a six semaines environ, au moment où il a commencé à se laver les mains.

Je ne pus m'empêcher de poser la question :

— Est-ce qu'il a déjà parlé de son chat ?

— Billy ? Mon Dieu, il n'arrête pas ! « Billy est monté à l'arbre. » « Billy est tombé dans le café de grand-mère. » « Billy est vilain. » Il nous raconte toujours ce qu'il fait. Tout le monde est fasciné par l'histoire de Billy ! dit-elle en souriant.

Cela suffit à me convaincre. C'était toute la confirmation dont j'avais besoin. Je sais que personne d'autre ne serait d'accord avec moi, mais, en rentrant à la maison, j'étais folle de joie. Il se passait vraiment quelque chose, quelque chose de très positif.

Fraser, Chris et moi n'étions pas les seuls à bénéficier de l'arrivée de Billy. La nouvelle atmosphère de sérénité qui régnait dans la maison me permettait aussi de m'occuper de Pippa, qui grandissait très vite. Pippa était très différente de Fraser par bien des manières, mais sa naissance avait été presque aussi dramatique.

Nous avions été ravis lorsque je suis retombée enceinte au printemps 2010. Mais, au fond de nous, il restait un point d'interrogation : aurions-nous un deuxième enfant autiste ? Apparemment, lorsqu'il y en avait un dans la famille, les risques d'en avoir un second étaient de un sur vingt, selon certaines sources (contre un sur cinq mille normalement).

Nous avions décidé de faire une échographie au bout de vingt-deux semaines pour connaître le sexe de l'enfant. Si nous attendions un autre garçon, il faudrait nous préparer à avoir un enfant autiste, car cette affection est beaucoup plus répandue chez les garçons que chez les filles. Nous n'avions pas peur ; nous voulions simplement être prêts, étant donné tout ce que nous avions dû traverser avec Fraser.

En allant à Aberdeen, nous nous attendions au pire. Finalement, on nous apprit que j'attendais une petite fille, ce qui nous ravit tous les deux. Avoir un garçon et une fille, c'était l'idéal, mais cela réduisait également les risques de manière significative.

J'avais parlé avec les médecins et, étant donné les problèmes éprouvés lors de la naissance de mon fils, décision avait été prise de pratiquer une césarienne. Tout avait été prévu pour le 4 novembre 2010, mais j'avais souffert d'une prééclampsie, plus grave encore, cette fois, ce qui compliqua l'affaire. De plus, il fallut six tentatives à l'équipe médicale pour m'administrer une épidurale. Ce qui aurait dû être un accouchement sans problème se transforma en drame. À nouveau.

Apparemment, après la naissance, on faillit me perdre. À un instant, je berçais Pippa dans mes bras et, une seconde plus tard, je vomissais, prise de convulsions. Ma pression artérielle était si élevée qu'un chariot de réanimation débarqua dans ma chambre, comme dans *Urgences*.

Je me rappelle avoir demandé à une des infirmières :

— Je vais m'en tirer ?

— Je n'en sais rien, m'avait-elle répondu, ce qui n'aurait pas manqué de m'inquiéter si je n'avais pas perdu connaissance aussitôt.

Je ressemblais à un coussin d'épingles tant j'avais de tuyaux plantés dans mes veines. Ce pauvre Chris devait rester à mes côtés tout en s'occupant de Pippa.

Bien sûr, on pouvait compter sur Fraser pour provoquer un nouveau drame lors de la naissance de sa petite sœur. Maman, qui s'occupait de lui, se retrouva seule dans la maison de Ballater.

Le jour de ma césarienne, elle ouvrit à un livreur sans refermer la porte. Fraser prit peur et alla fermer la porte, piégeant ma mère à l'extérieur. Pire encore, la neige avait décidé de tomber ce jour-là, et la couche blanche atteignait déjà plus de dix centimètres. Maman se retrouva seule dehors en chaussons, au milieu de la tempête. Toutes les autres portes et fenêtres étaient fermées, si bien qu'elle nageait en pleine détresse.

Par un heureux hasard, une camionnette passa devant la maison. Maman fit des signes et demanda au chauffeur d'enfoncer la porte. Seule consolation, Fraser s'était réfugié au salon et regardait la télévision sans se rendre compte du drame qui se déroulait.

Lorsque Chris avait téléphoné pour annoncer la nouvelle de la naissance de Pippa, ma mère n'était rentrée que depuis dix minutes et essayait de se remettre de ses émotions.

— Elle n'avait pas l'air très enthousiaste, me dit Chris dans la salle de travail.

Ce ne fut qu'à notre retour que nous comprîmes pourquoi !

Notre plus grande inquiétude, c'était que Fraser n'aime pas sa petite sœur. Mais le problème fut vite écarté. Lorsque je sortis de l'hôpital, juste à temps pour revenir avant que la neige ne s'installe pour de bon, Fraser ne s'intéressa guère au bébé. Il sembla très content de me revoir, car c'était la première fois que nous étions séparés, et je m'en réjouissais, étant donné qu'il exprimait rarement ses sentiments, mais, avec Pippa, il adopta son indifférence habituelle. Il jeta un coup d'œil dans son couffin et s'éloigna au bout de quelques minutes.

Cette indifférence était réciproque. Pippa était si tranquille et si facile à vivre qu'elle continuait à dormir, même lorsque Fraser piquait ses crises.

Pour moi, ce bébé était une bénédiction. Le contraste avec Fraser n'aurait pu être plus marqué. Elle ne pleurait jamais, à tel point que, parfois, nous nous inquiétions de son silence. Lorsqu'elle avait faim ou voulait être changée, elle poussait un petit couinement. En comparaison des hurlements et des beuglements de Fraser, c'était le paradis.

Je savais qu'elle avait malgré tout besoin de soins et

d'attention, et j'étais souvent perturbée, car Fraser me prenait beaucoup de temps.

Néanmoins, il ne faisait aucun doute que Billy m'avait libéré un peu de disponibilités pour Pippa. Quand j'y réfléchissais, ce chat nous aidait par bien des manières.

Les progrès à la maternelle stimulèrent mon énergie.
Battons le fer quand il est chaud, Louise, me disais-je.
C'est ce que je fis. Je m'attaquais à un problème qui me rendait malade depuis des années : les tétines de Fraser.

Il n'avait bien entendu rien d'étonnant à ce qu'un jeune enfant s'attache à sa sucette. Ce qui était inhabituel, c'était que cela s'éternisait et que Fraser semblait obsédé par un certain type de tétines.

C'était un modèle tout simple de Tommee Tippee, mais malheur à moi si je ne lui donnais pas la bonne ou, pire, si j'essayais de la lui enlever de la bouche.

Ce problème me turlupinait depuis longtemps. En dehors du reste, c'était très embarrassant. Il l'emportait toujours à la maternelle et la mettait dans sa bouche chaque fois qu'il se sentait nerveux. Le personnel se montrait très compréhensif, mais ce n'était pas toujours le cas, à Ballater

L'année précédente, par exemple, cela avait provoqué un drame un jour où je faisais des courses.

Aller dans les magasins avec Fraser n'allait jamais de soi. Même la petite épicerie du village était une épreuve que nous évitions autant que possible.

La boutique était minuscule et les marchandises étaient entassées dans de petits espaces, si bien qu'il était diffi- cile de manœuvrer la poussette dans les rayons. Fraser trouvait l'atmosphère oppressante et criait toujours.

Ce jour-là, pour une fois, il ne criait pas parce qu'il

avait sa sucette dans la bouche. Arrivée à la caisse, je me réjouissais d'avoir évité le drame lorsqu'un vieil homme passa près de nous et exprima sa désapprobation. Cela n'avait rien d'anormal. J'entendais souvent des réflexions et des grognements lorsque je me promenais avec Fraser.

Les gens pensaient qu'il était trop grand pour être dans une poussette, trop grand pour avoir une tétine, trop grand pour hurler comme un diable. Si j'avais reçu une livre pour chaque regard désapprobateur, je serais millionnaire. Ce qui se passa ensuite sortait de l'ordinaire, néanmoins. Arrivé à la caisse avant nous, l'homme venait juste de payer ses achats.

Sans le moindre avertissement, il se retourna et dit :

— T'as pas besoin de ça. Ce qu'il te faut, c'est une bonne correction !

Sur ce, il se pencha et, sans autre forme de procès, arracha la tétine de la bouche de Fraser.

La caissière était éberluée. J'étais éberluée. Que lui était-il donc passé par la tête ? Pendant une seconde, je restai paralysée. L'homme posa la tétine sur le comptoir et sortit. La caissière l'attrapa et me la redonna avec un regard d'excuse. Bien entendu, il était trop tard : le mal était fait.

Fraser piqua une crise apocalyptique. En deux secondes, il passa de zéro à neuf sur l'échelle de la colère. Ses hurlements attirèrent bientôt des regards de mépris de la part des autres clients. Je dus abandonner mes emplettes et battre en retraite dans la voiture, où je passai dix minutes à le calmer et à lui assurer que le monsieur ne voulait pas lui faire de mal. En tout cas, il l'avait fortement perturbé et m'avait totalement dissuadée de faire mes courses à Ballater pour un moment.

Désormais, lorsque nous allions faire des courses,

Chris m'accompagnait et restait avec Fraser dans la voiture. Je ne supportais pas les regards en coin et les moues réprobatrices.

J'en avais assez. De plus, le problème de la tétine avait failli provoquer une nouvelle crise quelques semaines avant notre installation au « village » de Balmoral. Un matin, j'avais ouvert un nouveau paquet de tétines, j'en avais sorti une et l'avais mise dans la bouche de Fraser.

Aussitôt, il l'avait recrachée comme un boulet de canon. Elle avait volé à travers la cuisine avant de tomber par terre. Ensuite, il s'était mis à hurler.

— Qu'est-ce qu'il y a encore ? dis-je à Chris qui terminait son thé avant d'aller au travail.

Il se contenta de hausser les épaules et de faire la grimace comme pour me dire qu'il n'en avait pas la moindre idée. Je venais de sortir la tétine d'une nouvelle boîte. Il y avait peut-être un problème avec ce lot. J'avais une vieille boîte dans un placard. Je pris une tétine du vieux paquet et la donnai à Fraser. Étrangement, cela sembla le calmer.

Je me préparai une tasse de thé et examinai les deux tétines pour les comparer. À des instants pareils, je ne pouvais m'empêcher de songer au ridicule de ma vie. J'étais en train d'analyser les différences de tétines de bébé avec la même attention qu'un marchand d'art devant une toile de maître.

Je me sentais stupide et, ce qui était pire, je ne savais même pas ce que je cherchais. J'avais beau m'escrimer, je ne voyais aucune différence entre les deux objets.

Au moment où j'allais renoncer, je remarquai une différence presque imperceptible : une bordure supplémentaire sur le caoutchouc.

— Mon Dieu, ils ont modifié le modèle ! m'exclamai-je. Ils ont modifié cette stupide tétine et il a fallu qu'il remarque la différence ! dis-je à Chris, qui dut me prendre pour une folle.

— Comment a-t-il pu le voir ?

— Je n'en sais rien, mais il s'en est rendu compte, dis-je en fouillant les placards à toute vitesse, prise d'une nouvelle crise de panique. Oh non ! m'écriai-je en constatant qu'il ne me restait plus qu'une boîte d'anciens modèles.

Cela ne durerait pas plus de quelques jours, une semaine tout au plus, de la manière dont Fraser les jetait régulièrement quand il n'en voulait plus. Il fallait absolument que je trouve une réserve d'anciennes tétines. Et en vitesse !

Ce matin-là, je commençai à envoyer des courriels, avec leur langage particulier et l'usage hystérique de LETTRES CAPITALES, qui aurait paru tout à fait furax à un observateur innocent. Par chance, les destinataires savaient qu'il s'agissait de Fraser et que le message n'était pas plus dément que ce que je leur envoyais depuis quelques années. Je l'avais adressé à la maman de Chris et à ma famille dans l'Essex en leur demandant d'écumer toutes les boutiques, tous les sites Internet auxquels ils pourraient songer pour trouver le vieux modèle de tétines Tommee Tippee, et non pas le nouveau amélioré !

Je dois le reconnaître, ils se sont donné beaucoup de mal, et bientôt je reçus un arrivage régulier de tétines. Pourtant, cela ne durerait qu'un temps. Le vieux modèle n'était plus fabriqué, et les réserves finiraient par s'épuiser. Nous avions une épée de Damoclès sur nos têtes, une bombe à retardement qui ne manquerait pas d'exploser dès que nous serions en rupture de stock.

Comme nous disposions de quelques semaines de répit

avant ce moment fatidique, je décidai d'agir. Étant donné ce qui se passait à la maternelle et les améliorations que je constatais à la maison depuis l'arrivée de Billy, j'avais l'impression que c'était le moment idéal.

Le temps m'était compté, et j'en avais jusqu'au cou des regards de travers et des moues désapprobatrices qui m'accusaient d'être une mauvaise mère.

Voilà où j'en étais le lendemain de ma conversation avec Cath, et je me résolus à prendre des mesures que la plupart des gens considéreraient comme extrêmes. J'attendis que Fraser soit installé devant la télévision, au milieu de la matinée.

J'ouvris le placard de la cuisine, pris la grande boîte de plastique contenant les tétines, et la posai sur la table. Je me saisis d'une grande paire de ciseaux et commençai à couper tous les embouts. C'était un acte cathartique. Je me sentais bien en coupant la première, et encore mieux en coupant la dernière.

Lorsque Fraser vint à la cuisine pour boire son lait, suivi par Billy, je pris mon courage à deux mains et sortis la phrase que j'avais préparée dans ma tête depuis la veille.

— Je suis vraiment désolée, Fraser, mais les tétines sont cassées, dis-je en lui en montrant une avec l'embout coupé.

Il me regarda d'un air perplexe. Je voyais que les pensées bouillonnaient dans sa tête. Comme d'habitude, je n'avais aucune idée de ce qu'il ressentait ni des réactions qui allaient suivre.

J'étais prête à l'entendre hurler à réveiller les morts, mais il n'y eut qu'un silence qui sembla se prolonger pendant de longues minutes.

Je n'osais pas parler. Il me semblait que Fraser avait

besoin d'absorber cette information tout seul, si je voulais avoir une chance de succès. Quelques instants plus tard, il haussa les épaules, se tourna vers son nouvel ami Billy qui était assis par terre et lui dit :

— Oh ! Billy, la tétine est cassée !

Il prit son goûter du matin, but sa boisson, tourna les talons et retourna regarder la télévision. Je ne savais pas si je devais rire ou pleurer. J'étais aussi heureuse que si je venais de décrocher l'or olympique !

Je savais que je devais solidifier mon édifice, je reproduisis donc le procédé le soir même. De nouveau, je présentai une tétine à l'embout coupé, et, de nouveau, Fraser la regarda, fronça les sourcils et s'éloigna.

Deux jours plus tard, il avait cessé de s'intéresser à ses tétines. La réaction était si spectaculaire que nous ne lui en donnions même plus le soir, contrairement à ce que nous avions fait pendant des années.

J'ai les larmes aux yeux quand je repense à ce moment. Cela paraît stupide, sans doute, mais, pour nous, c'était une étape monstrueuse.

Je n'avais aucun doute sur le catalyseur qui avait permis ces progrès. Chris pouvait bien me faire les gros yeux tant qu'il voulait, Billy avait changé la vie de Fraser. Les preuves étaient irréfutables. Si je les avais exposées devant un tribunal, j'aurais gagné. Les mondes avant et après Billy n'étaient pas les mêmes. Avant son arrivée, tout posait problème, le moindre incident se transformait en tragédie. Après l'arrivée de Billy, ce n'était plus systématique. Pendant des années, il avait fallu se battre pour arriver au moindre jalon. Soudain, les étapes s'enchaînaient sans le moindre drame. C'était fou. Cette histoire de tétines était un exemple parfait. Quelques semaines auparavant, j'avais écumé tout le pays pour trouver un vieux modèle.

Il en fut de même avec la cordelette rouge.

Il devenait évident pour moi que les accessoires dont Fraser avait besoin pour se sentir en sécurité perdaient de leur puissance. Sa cordelette, sa tétine, les objets dont il avait besoin pour se sentir en sécurité devenaient désormais de simples adjonctions, de simples accessoires, car il avait autre chose : il avait Billy.

Je ne prétends pas que ce chat avait des super pouvoirs ; ce n'était pas Billy qui avait fait disparaître les tétines. Mais je voyais bien que, d'une certaine manière, il permettait à Fraser de se détendre et de comprendre que les choses n'avaient pas autant d'importance qu'il le croyait. Je ne savais pas comment cet animal s'y prenait, mais il y parvenait. Et je lui en étais très reconnaissante.

8

L'escapade

Nous étions à la fin de l'automne 2011, et les jours qui raccourcissaient avaient un parfum d'hiver. Ce soir-là, il faisait nuit noire, et, à la manière dont il battait les vitres comme une harpie, un vent violent soufflait.

— Quand as-tu vu Billy pour la dernière fois ? demanda Chris en fermant la porte arrière et en éteignant la lumière de la buanderie, où Billy dormait souvent.

— Pas depuis cette après-midi. Il a joué un peu avec Fraser lorsqu'il est rentré de l'école, mais, en y repensant, je ne l'ai pas revu depuis.

— Humm. Je n'aime pas le savoir dehors à cette heure-ci. Surtout par ce temps, dit Chris en allant vers le perron de devant, où Billy rentrait parfois par la chatière.

On échangea un regard inquiet.

Chris ralluma la buanderie, déverrouilla la porte arrière et passa le nez dehors pour regarder dans le jardin.

— Louise, va te coucher, dit-il en prenant son manteau et une lampe de poche. Je vais aller faire un tour.

Il n'était pas plus tôt sorti que des pensées se mirent à bouillonner dans ma tête. Aucune n'était de bon augure.

À bien des égards, Billy restait une énigme. D'un côté, c'était une créature charmante et affectueuse à la maison. De l'autre, c'était un esprit libre qui aimait écumer la campagne, surtout depuis que nous étions à Balmoral. Depuis notre arrivée, il sortait beaucoup plus souvent que dans notre maison précédente. La raison était facile à comprendre : le domaine offrait des paysages luxuriants et une faune sauvage très riche. On oublie trop souvent que les chats sont des prédateurs. Ce sont des chasseurs ; c'est inscrit dans leur patrimoine génétique.

Billy mangeait presque toujours ce qu'il attrapait, mais, parfois, il nous ramenait des reliefs de ses proies à la maison. Depuis que nous étions à Balmoral, il nous avait apporté quelques souris, des taupes et des campagnols. Chris était certain qu'il s'attaquait aux lapereaux qui vivaient dans les bois. Les gardes-chasses les tuaient, car ils les considéraient comme des créatures nuisibles. Comme ils pullulaient, ils étaient donc faciles à attraper.

Les résultats de la chasse n'étaient pas toujours très agréables à nettoyer. La semaine précédente, par exemple, Billy était arrivé fièrement sous le porche avec un oiseau dans la gueule. Sur le point d'emmener les enfants au jardin d'enfants à Crathie, un peu à l'écart de Balmoral, j'allais sortir. En le voyant avec cette pauvre créature dans la gueule, je fis passer les enfants par la porte arrière. Fraser n'aurait pas compris ce qui se passait et en aurait été perturbé. J'avais appelé Chris pour lui demander de se débarrasser de cet indice perturbant avant notre retour. Moi-même, j'éprouvais des sentiments ambivalents à propos des chats et de leurs habitudes de prédateurs. J'étais partagé entre l'idée qu'il fallait les enfermer, comme on le fait dans certaines parties du monde, et la nécessité d'accepter ce comportement comme une des lois de la nature, des landes et des bois d'Écosse (dans notre cas particulier). Il était inutile que j'aille me coucher pendant que Chris restait dehors : j'étais incapable de m'endormir. Je mis donc la bouilloire sur le feu pour me préparer une tasse de chocolat. Tandis que je la buvais face aux fenêtres noires, la perspective de perdre Billy me semblait trop horrible pour y penser.

Bien sûr, ce chat m'inquiétait beaucoup. Je m'étais prise d'affection pour lui et je me souciais de son sort. Pour être honnête, néanmoins, je dois avouer que je m'inquiétais encore plus sur l'effet que l'absence de Billy aurait sur Fraser. Ils étaient devenus si proches, presque inséparables. Comment annoncerais-je une telle nouvelle ? Mes pensées s'affolaient. À cet instant, Chris réapparut. Rien qu'à le voir, je sus qu'il rentrait bredouille.

— Rien ?

— Non, dit-il en haussant les épaules. J'ai fait le tour des jardins et j'ai regardé dans les buissons. Je l'ai déjà vu rôder par là. Cela valait la peine d'essayer, mais il fait trop sombre. Il va falloir attendre demain matin et espérer qu'il va revenir.

— Et s'il ne revient pas ? dis-je en essayant de ne pas pleurer.

— Attendons demain matin. Je suis certain qu'il va revenir, dit-il en me prenant dans ses bras, ce qui suffit à déclencher une crise de larmes.

Je me sentais stupide de pleurer pour si peu, mais je ne pouvais pas m'en empêcher.

Comme d'habitude, à cause de ses instincts de chasseur, on verrouillait la porte avant pour éviter que Billy n'entre dans la maison avec un cadavre de souris dans la gueule. S'il rentrait par la chatière, il devrait dormir dans la buanderie. Il y faisait assez chaud, même par une nuit froide et venteuse comme ce jour-là.

On remonta dans notre chambre, silencieux, sachant tous deux qu'on avait peu de chances de s'endormir, car on guetterait le son de la chatière qui s'ouvrait.

C'était pourtant impossible, au milieu des hurlements et des sifflements du vent qui semblait se renforcer d'heure en heure.

On somnola par à-coups, et Chris descendit au moins deux fois pour vérifier, mais aucune trace de Billy.

Comme le chat passait de plus en plus de temps dehors, nous avions prévenu Fraser que son cher Billy risquait de s'absenter plus longtemps que la normale. On lui dit donc que Billy était sorti, et il l'accepta.

Nous nous étions imaginé que, dans son esprit d'autiste, il considérait cette absence comme une chose habituelle, un peu comme son papa qui partait au travail.

— Il va revenir bientôt, affirma Chris, délivrant les messages habituels.

Je n'osais regarder Fraser, tant j'avais l'estomac noué. J'espérais simplement que Chris ne se trompait pas.

Billy était déjà sorti après la tombée de la nuit auparavant, mais il n'avait encore jamais disparu une nuit entière. Il revenait toujours avant que nous fermions la porte, si bien que je redoutais qu'il lui soit arrivé quelque chose.

De nouveau, je commençai à me faire des reproches. *Pourquoi ne l'avons-nous pas enfermé ? Pourquoi ne l'avons-nous pas équipé d'un collier fluorescent ?* pensai-je. Pourtant, cela n'aurait pas servi à grand-chose. Ce genre d'objet n'est utile que dans les villes. Nous étions au milieu des landes écossaises.

Forcément, j'avais élaboré toute une série de théories sur ce qui avait pu se passer. Dans la région, les accidents de voiture étaient la première cause de mort violente, mais ce n'était sans doute pas le cas ici. Comme il y avait très peu de circulation, même si Billy s'était aventuré sur la route, il n'aurait pas couru grand risque.

Il y avait plus de chances qu'il ait été blessé ou attaqué par un autre animal, bien qu'il n'y eût guère de créatures dangereuses.

Balmoral abritait une faune très diverse, allant des chevreuils aux écureuils, et toute une série d'oiseaux, comme des tétras-lyres et des lagopèdes d'Écosse, ainsi que quelques grands coqs de bruyère, un de leurs rares cousins. Peu s'en prenaient aux chats, en tout cas.

Plus j'y réfléchissais, plus j'étais désemparée. Je décidai d'adopter une attitude productive. Je ne pouvais me contenter d'attendre à la maison. Fraser n'ayant pas école ce matin-là, après avoir débarrassé la vaisselle du petit-déjeuner, je décidai de l'emmener promener avec Pippa.

Vers neuf heures du matin, le vent s'était calmé, et l'on apercevait même quelques traînées bleues dans le ciel. La journée me paraissant correcte, je les installai tous les deux dans la double poussette et me mis en route. Je devais absolument faire quelque chose et, qui sait, on trouverait peut-être Billy près de l'une des autres maisons du domaine. En longeant la route qui contournait le domaine, je croisai quelques voisins.

— Vous n'auriez pas vu notre chat, par hasard ? demandai-je, tentant de garder une voix calme pour ne pas inquiéter Fraser.

— Le gris qui monte toujours dans les arbres ? demanda l'homme. Non, je ne l'ai pas vu, mais je vous promets de faire attention.

Je resserrai mon écharpe autour de mon cou, fermai la couverture de la poussette des enfants et me dirigeai vers le bâtiment principal du domaine. J'aimais beaucoup me promener autour du château de Balmoral.

À l'époque des temps plus sombres, lorsque je devais me battre sans arrêt avec Fraser, c'était l'une des rares choses qui m'avaient permis d'échapper à la folie.

Pour moi, c'était une véritable évasion de pouvoir me promener avec les enfants, quelle que soit la saison. Le domaine, avec ses pistes forestières et ses jardins, était aussi beau en hiver qu'en été. Marcher dans la neige offrait en fait un des plus beaux spectacles qui soient. L'air était si frais et si pur, qu'on avait l'impression que la moindre bouffée vous emplissait de bien-être.

Je passai devant la maison qui avait été construite pour John Brown, l'un des favoris de la reine Victoria, où vivait désormais le régisseur du domaine, le *Factor*. J'observai le terrain de golf où jouait parfois la famille royale.

Comme il était trop tard dans la saison pour que quelqu'un fasse le parcours, je fouillai les greens et les bunkers à la recherche de Billy. Je savais que je ne le trouverais pas là, mais je me désespérais de plus en plus. « Où es-tu donc passé, Billy ? » murmurai-je intérieurement.

Nous avions environ dix minutes de marche pour arriver au château proprement dit. Les cachettes possibles étaient si nombreuses que ma démarche était ridicule. C'était chercher une aiguille dans une botte de foin. L'un de mes endroits préférés est Garden Cottage, où la reine Victoria aimait se réfugier.

C'est une charmante construction de pierre, au milieu d'une pelouse, près d'un jardin muré. Fraser aimait bien s'y rendre surtout lorsque nous passions sous l'arche de roses pour aller voir les serres. Je longeais le cottage et les serres en espérant voir une tache grise dans la verdure, mais je n'eus pas cette chance.

J'écumai également le potager que le duc d'Édimbourg avait initié quelques années plus tôt et qui fournissait désormais les légumes de la famille royale lorsqu'elle était en résidence. Toujours pas de signe de Billy.

Une heure plus tard, j'avais couvert une bonne partie du domaine. Nous avions rencontré deux jardiniers et l'équipe de maintenance en chemin, mais, nous restions bredouilles.

Sachant que les enfants ne tarderaient plus à se plaindre, je pris le chemin du retour. Le nœud qui s'était formé dans mon estomac la veille au soir se resserrait. Je commençais vraiment à craindre le pire.

Ce fut Fraser qui le repéra le premier.

— Maman, Billy est revenu, dit-il tandis que nous approchions des premiers cottages en bordure du domaine.

— Ah oui ? Où ça ?

— Là ! Regarde ! s'exclama Fraser en pointant un doigt vers la palissade.

Je n'avais pas une aussi bonne vue que lui, et il me fallut un moment pour le voir. Cela peut paraître idiot, mais je sentis le poids du monde se dégager de mes épaules. J'étais au bord des larmes. Comme je ne voulais pas que les enfants s'aperçoivent de quelque chose, je me ressaisis et me contentai d'accélérer le pas.

Plutôt hirsute, Billy ne présentait aucun signe de blessures ou d'égratignures. En fait, il avait plutôt l'air content de lui. Lorsque je m'approchai du portail, il fit le dos rond et nous regarda d'un air de dire : « Qu'est-ce que c'est que ce cinéma ? »

« Tu n'as pas idée du souci qu'on a pu se faire », aurais-je aimé répondre, mais je ne voulais pas inquiéter les enfants.

— Tu vois, Fraser, je t'avais dit qu'il rentrerait ce matin !

À l'intérieur de la maison, je vis que la fourrure de Billy semblait pleine de minuscules bigoudis. Cela devait être des petits chardons ou des pommes de pin, ce qui signifiait qu'il avait dû s'aventurer assez loin, sans doute dans la lande, au-dessus du château.

Il y avait aussi une dense forêt de pins dans ce coin. Il s'était peut-être réfugié dans un abri de fortune, pendant la nuit, pour s'abriter de la tempête. Dieu seul savait ce qui lui était arrivé. Je ne le sus jamais vraiment, mais, à vrai dire, à ce point, peu m'importait.

Après avoir préparé un petit goûter pour les enfants, je décidai de donner un bain à Billy, ce qu'il n'appréciait guère. Fraser se joignit à la fête, arrosant avec la douche et le grondant lorsqu'il essayait de s'échapper, ce qui était plutôt paradoxal. Billy fut ravi de se réfugier dans la serviette qui l'attendait.

— Ne nous refais plus jamais un coup pareil, Billy, murmurai-je dans ma barbe en le frottant pour le sécher avant de le laisser filer.

Bien sûr, je savais que, même s'il me comprenait, il n'y avait pas la moindre chance qu'il m'obéisse.

9

La montée des marches

Lorsqu'on parle du « meilleur ami de l'homme », on pense toujours au chien. Je comprends pourquoi. J'ai toujours aimé les chiens. Or, en voyant se développer le lien qui unissait Fraser et Billy, je commençai à trouver injuste qu'on ne reconnaisse pas les chats à leur juste valeur, car ils le mériteraient. Il me suffisait d'aller au salon et de les regarder tous les deux pour être convaincue que les chats et les hommes pouvaient entretenir une relation très spéciale.

À vrai dire, cela défiait la raison. Le lien qu'ils avaient tissé était bien plus solide et bien plus profond que tout ce que j'avais pu imaginer. Bien sûr, j'avais espéré que Billy deviendrait un camarade de jeu, un compagnon. Il était devenu beaucoup plus qu'une boule de poils distrayante avec laquelle on se roulait joyeusement sur le tapis. Il était capable de retenir l'attention de Fraser pendant des heures d'affilée. Il n'avait jamais manifesté un tel intérêt auparavant, même pas pour les lave-linge. Par moments, enfermés dans leur propre monde, ils restaient assis l'un à côté de l'autre, pendant que Fraser bavardait de manière incohérente, le plus souvent. On aurait dit qu'ils avaient un langage secret.

Billy apporta aussi beaucoup d'autres choses importantes à Fraser : la loyauté, la cohérence, les encouragements, une présence rassurante, le sens de la sécurité. Souvent, il offrait une épaule sur laquelle Fraser pouvait s'appuyer. Au fil des semaines, Billy devenait notre meilleur ami aussi, à moi et à Chris. On avait l'impression d'avoir un allié dans le combat quotidien que nécessitaient les particularités de Fraser. Dans notre nouvelle maison, cela me donnait une meilleure confiance en moi et une force intérieure. Avec Billy à mes côtés, j'étais prête à mener des combats qu'auparavant je n'aurais pu envisager, car je me sentais trop faible et trop vulnérable.

Il y en avait tant devant nous, parfois, que j'étais simplement submergée : lui apprendre à marcher ; lui apprendre la propreté ; lui apprendre à se servir d'une fourchette et d'un couteau… La liste était infinie. Avant Billy, j'étais incapable de me lancer… et encore moins de remporter la victoire.

Dans les semaines qui suivirent mon succès avec la tétine, je décidai d'affronter un problème qui me turlupinait depuis longtemps : l'escalier.

J'avais les meilleures motivations du monde. En dehors de la kinésithérapie, Fraser était suivi pour les fonctions motrices. Il avait accompli de gros progrès dans certains domaines, largement grâce à Helen et aux orthèses qui l'aidaient à trouver équilibre et stabilité.

Les escaliers posaient toujours un problème, car il ne savait pas comment les aborder. C'était la première fois qu'il dormait à l'étage en dehors de la maison des parents de Chris. Ma mère et mon père habitaient un pavillon de plain-pied.

À ce moment, Fraser montait en rampant ou se faisait porter par moi ou Chris, ce qui n'était guère pratique, car il semblait peser de plus en plus lourd de jour en jour. J'étais à bout de souffle en haut des marches lorsque Chris n'était pas là.

Après le départ d'Helen, sa remplaçante, Lindsey, devait arriver en décembre, deux semaines avant Noël. À la mi-novembre, je décidai de m'attaquer aux marches, une par une, pour ainsi dire. Tout d'abord, il fallait ajouter une rampe et, donc, après avoir demandé au *Factor* la permission, on contacta Mike, le coordinateur du domaine. Il commença par fixer un poteau métallique près de la marche extérieure et passa toute une journée à installer une nouvelle rampe à l'intérieur. En bois, elle avait la taille parfaite pour de petites mains.

Presque aussitôt, je commençai à encourager Fraser pour qu'il utilise ce nouvel équipement. Lorsqu'il n'avait pas école, je passais une demi-heure sur le demi-palier, auquel on accédait grâce à six marches.

— Voyons si tu peux t'aider de la rampe pour monter les marches, disais-je à Fraser.

Je l'acclamais et l'applaudissais lorsqu'il montait les marches.

Bien sûr, je subissais beaucoup d'échecs. Parfois, Fraser refusait de monter la moindre marche, à d'autres occasions, il en montait une ou deux et rampait sur le reste du chemin.

D'autres fois, il s'appuyait contre le mur et glissait plus ou moins vers le haut en s'aidant des mains pour se soulever. De temps en temps, néanmoins, il levait les mains, attrapait la rampe et montait marche par marche.

— Bien joué, Fraser, disais-je chaque fois qu'il réussissait.

Je voyais bien qu'il faudrait beaucoup d'entraînement, mais j'étais persuadée que nous y parviendrions.

La grande marche de béton à l'extérieur fut plus facile à surmonter. Lorsqu'il rentrait de l'école ou si nous étions allés faire des courses, je lui suggérais de s'aider de la rambarde pour monter l'unique marche.

Au début, il se penchait contre le mur ou y appuyait une main pour garder l'équilibre. Au bout d'une dizaine d'essais, pas plus, il parvint à grimper la marche en se tenant simplement à la rambarde.

Il semblait content de lui lorsque je l'applaudissais. Souvent, il jetait un coup d'œil vers Billy, qui n'était jamais loin.

— Billy, Fraser a grimpé la marche ! s'exclamait-il.

Je lui avais annoncé depuis longtemps l'arrivée d'une nouvelle kinésithérapeute qui lui apprendrait à monter les marches. Il était donc préparé lorsque Lindsey arriva par une matinée glaciale de décembre.

J'avais habillé Fraser chaudement pour l'exercice en extérieur. Il avait beaucoup de mal à monter sans aucune aide et s'appuyait contre le mur ou contre moi pour trouver son équilibre, mais, lorsqu'on le laissa utiliser la rampe, il s'en sortit à merveille.

— Bien, Fraser, dit Lindsey, tandis qu'il montait facilement.

Très heureux, Fraser m'adressa un grand sourire.

Avec l'escalier de l'intérieur, il ne remporta pas le même succès. Lorsque Lindsey lui demandait de monter et de descendre sans s'aider de la rampe, il s'appuyait lourdement contre le mur et redescendait sur les fesses. Une seule fois, il monta les deux dernières marches, mais simplement parce que Lindsey lui avait donné la main. Il réussit un peu mieux avec la rampe. Il monta jusqu'au demi-palier en tenant la rampe de la main gauche et en plaçant la main droite sur la marche supérieure pour se stabiliser. Malgré les encouragements de Lindsey, il s'obstina à descendre sur les fesses.

Elle nous dit qu'elle rédigerait son rapport et reviendrait dans le courant du mois de janvier pour voir s'il avait fait des progrès.

— Je suis certaine qu'il aura beaucoup avancé, dit-elle.

Noël arriva et passa doucement, comme le plus souvent chez nous. Sans que l'on sache très bien pourquoi, Fraser ne s'y était jamais intéressé. Contrairement à la plupart des enfants qui s'agitaient comme des diables dès la veille, il se contentait de vivre normalement.

C'était notre quatrième Noël avec lui, et j'avais espéré qu'il s'y intéresse un peu, mais rien n'avait changé. Sa maternelle lui avait confié un rôle dans un petit conte de la Nativité, il avait chanté des chants de Noël et reçu la visite du père Noël.

Il avait assisté à la fête donnée pour les enfants du personnel de Balmoral avec d'autres petites filles et garçons, et il avait reçu un présent des mains de la reine. Il avait beaucoup aimé le cadeau, un ours en peluche qui chantait quand on lui appuyait sur le ventre ou sur la patte, mais le reste ne l'avait pas vraiment enthousiasmé.

En tant que parent, j'étais chagrinée, car cela me rappelait qu'il n'était pas comme les autres. Égoïstement, peut-être, j'avais rêvé de faire tout ce que font les parents : emballer les cadeaux, installer et décorer l'arbre de Noël, laisser une offrande pour le père Noël devant la cheminée, le soir du réveillon. Nous le faisions, évidemment, mais Fraser n'en tenait aucun compte. Pour lui, Noël était un jour comme les autres. Il n'aimait pas trop que l'on bouleverse sa routine. Bien sûr, désormais, il n'était plus seul. Nous devions aussi nous occuper de Pippa. Elle était encore trop jeune pour apprécier les fêtes, mais nous lui avions offert de nombreux cadeaux, et elle aimait beaucoup l'arbre de Noël et les décorations.

Nous avons pu mesurer à quel point Noël était particulièrement difficile, car nous n'avions passé qu'un seul Noël à la maison, et encore parce que nous étions bloqués par la neige. Une année, nous étions allés chez la maman de Chris, une autre, nous étions descendus dans l'Essex rejoindre mes parents. Nous ne partirions pas dans le Sud cette année, non seulement parce que nous ne pouvions envisager de faire les onze heures de route avec Fraser, mais aussi parce que nous devions voir la maman de Chris. De plus, au fond de moi, je n'avais aucune envie de séparer Fraser et Billy trop longtemps.

Nous avions une solution de secours pour les chats. Nos voisins, Sandy et Cilla, devaient venir les nourrir et vérifier que tout se passait bien ; leur petit-fils, Murray, adorait les chats et les aiderait. En se préparant à partir le matin de Noël, Fraser s'était beaucoup plus inquiété du confort de Billy que de ses cadeaux.

Il avait déposé une écuelle pour sa nourriture et une autre pour l'eau. Puis il passa dix minutes à expliquer à Billy qu'il allait voir sa grand-mère. Il lui dit aussi que Cilla, Sandy et Murray viendraient s'occuper de lui.

— Murray jouera avec toi, dit Fraser en le caressant.

C'était un peu excessif, car nous rentrions le soir même, mais cela en valait la peine, car, ainsi, Fraser avait l'esprit tranquille et ne s'inquiéterait pas de Billy pendant le voyage ni une fois arrivé chez la mère de Chris. Il savait exactement ce que Billy allait faire, qui le nourrirait, et, dans son esprit autistique, tout allait bien. Ce qui était fantastique.

Dans la période suivant *Hogmanay*, mot écossais désignant « Nouvel An », que j'utilise toujours, je repris la montée des marches avec Fraser. La seule différence, à présent, c'était que, sans que je m'en sois rendu compte, j'avais un nouvel assistant. Un beau matin de janvier, je remarquai que Billy s'était installé sur le demi-palier, à l'endroit exact où je m'étais assise moi-même pour encourager Fraser quelques heures plus tôt.

Je ne l'avais encore jamais vu à cet endroit. S'il s'aventurait à l'étage pour aller faire la sieste, il se dirigeait généralement dans la chambre de Fraser, mais le plus souvent il se contentait de dormir dans la buanderie ou au salon en bas. Au début, je n'avais guère prêté attention à lui.

Le lendemain, j'entendis Fraser qui l'appelait :

— Billy, Billy, attends-moi !

Je sortis dans le couloir et vis Billy assis au bord du palier, regardant les six marches du bas. Fraser se tenait déjà sur la deuxième marche et montait lentement à sa rencontre. Cela lui demandait un effort considérable et, lorsqu'il parvint en haut, il soupira, exténué. Puis il s'allongea à côté de Billy sur le demi-palier.

De nouveau, je n'y réfléchis guère. Je les avais simplement trouvés mignons. Lorsque le phénomène commença à se renouveler régulièrement, je pensais simplement que c'était une autre forme de jeu. Même lorsque je remarquai que je devais passer l'aspirateur plus souvent pour me débarrasser des poils de chat que Billy y laissait, je n'avais pas encore ajouté deux et deux.

Ce ne fut qu'en les voyant ensemble, un soir, que j'eus le déclic.

Je venais d'avoir une séance d'escalier pendant laquelle Fraser s'était montré moins que coopératif, dirons-nous. Il avait monté quelques marches en s'aidant de la rampe à plusieurs reprises, mais il s'était vite remis à ramper.

Il n'avait même pas essayé de descendre en position debout. Je savais reconnaître les moments où il était inutile d'insister, si bien que j'avais renoncé rapidement. Parfois, mieux valait éviter de perdre son temps.

De nouveau, Billy s'était installé sur l'escalier, à mi-chemin cette fois. Fraser avait commencé à monter quelques marches pour le rejoindre et pouvait le toucher en tendant la main. Soudain, Billy se retourna et monta jusqu'au demi-palier.

— Billy ! Attends !

Ce ne fut que lorsque Fraser arriva en haut que Billy s'arrêta. Il enfonça sa tête dans la poitrine de son copain et commença à jouer.

— Mon Dieu ! m'exclamai-je.

Une lumière s'éclaira. C'était comme si Billy disait à Fraser que, s'il voulait jouer avec lui, il devait monter l'escalier. C'était l'envie de jouer qui poussait Fraser à monter le plus vite possible. Jamais je ne l'avais vu grimper de manière aussi fluide et aussi rapide.

Je ne savais que penser. Soudain, j'étais prise de vertiges. Le chat avait dû remarquer mes encouragements, à ce même endroit – Dieu seul sait comment –, et décider de faire la même chose. Pourtant, cela semblait totalement impossible. C'était du délire. Je devais perdre la tête !

Louise, sois raisonnable ! me disais-je tandis que mon esprit fonçait à cent à l'heure.

Bien entendu, Chris pensa que j'avais totalement perdu l'esprit lorsque je lui racontai l'incident, ce soir-là. Il avait une grande confiance en Billy et était le premier à dire que le chat avait une influence apaisante sur l'ambiance de la maisonnée. Mais il ne voulait pas reconnaître qu'il faisait beaucoup plus que ça. Pour lui, mes extrapolations étaient tirées par les cheveux.

Bien entendu, il fallait simplement que Billy recommence pour que je sois plus persuasive. Mais la loi de Murphy entra en jeu, et ils ne répétèrent pas le processus en présence de Chris, ni ce soir-là ni un autre.

Pendant la journée, Fraser se tenait souvent sur le palier avec Billy qui montait souvent pour que Fraser le rejoigne. C'était frustrant. Je songeais même à les filmer pour prouver à Chris que je n'inventais rien. Moi, je savais ce que j'avais vu. Et je comprenais ce que cela signifiait.

Au début de janvier, on reçut un exemplaire du rapport que Lindsey avait rédigé après sa visite en décembre. Ne contenant aucune surprise, il disait : *Fraser se penche lourdement contre le mur et rampe pour monter les marches* et préférait *descendre sur ses fesses la plupart du temps, même s'il a descendu les deux dernières marches en donnant la main au thérapeute.*

Je n'y prêtai guère attention. Non parce que je ne respectais pas Lindsey, mais parce que ce rapport était totalement périmé. Les choses avaient changé presque du tout au tout. À présent, Fraser montait et descendait les marches sur ses pieds. Il avait toujours besoin de l'aide de la rampe, mais ce n'était guère un problème : nous l'avions installée à dessein. L'essentiel était que nous étions débarrassés d'un gros poids, et que sa nouvelle façon de marcher devenait la norme sans que cette avancée ait provoqué de drame majeur.

C'était difficile à croire. Un an ou deux plus tôt, ces exercices auraient provoqué des crises phénoménales. Il se serait mis dans tous ses états chaque fois que je lui aurais proposé de monter les marches. Il s'en serait rendu malade de colère. Mais les seules difficultés que j'avais éprouvées ces dernières semaines étaient un peu de mauvaise volonté et de méfiance. Sur l'échelle de un à dix que j'avais établie avec Fraser, nous en étions désormais à deux ou trois, au pire. En d'autres termes, une bagatelle.

Lorsque Lindsey revint voir Fraser un mois plus tard, elle le vit monter et descendre fièrement l'escalier en s'aidant de la rampe.

— Dites donc, il en a fait des progrès, n'est-ce pas, Louise ? dit-elle en souriant.

On remarqua toutes les deux que Billy observait en haut des marches.

— Qu'est-ce qu'il fiche ici, je me demande, dit Lindsey. Il apporte un soutien moral ?

J'aurais eu beaucoup à dire, mais je préférai me taire. Je me contentai de sourire et de hocher la tête tranquillement.

— Qui sait ? dis-je. Qui sait ?

10

Printemps en fleurs

L e printemps est toujours magnifique dans les Highlands, mais, en 2012, il fut exceptionnel. Nous sortions d'un long hiver froid et sombre, et je me réjouissais de voir les jonquilles en fleurs et d'entendre le ronronnement des eaux de la rivière gonflées par les dernières neiges fondues des Cairngorms.

Il semblait que la chance nous souriait enfin.

Chris et moi avions appris à nous montrer réalistes avec Fraser, mais les progrès accomplis au cours des mois précédents nous rendaient plus optimistes que nous ne l'avions été depuis longtemps.

Ce n'était pas seulement dû à l'atmosphère plus calme et plus joyeuse qui régnait depuis notre installation sur les terres du domaine. On entrevoyait de vrais signes positifs.

Lindsey avait rédigé un rapport très encourageant, qui était parvenu entre les mains de notre orthoprothésiste, une femme du nom de Lynne, installée à Aberdeen.

Les orthèses avaient apporté une aide indéniable, mais elles étaient encombrantes. Montant le long de la jambe, elles passaient également sous le pied, ce qui lui donnait une démarche très raide. Elles devaient également être remplacées régulièrement, tous les six mois, environ, et c'était gênant. Lorsqu'on alla la voir au printemps, elle demanda à Fraser de marcher un peu et prit quelques notes. J'espérais qu'elle nous annoncerait que les nouvelles orthèses seraient prêtes dans quelques semaines, mais elle avait une autre idée en tête.

— Je crois que c'est le moment de se passer d'orthèses.

— Vraiment ? demandai-je.

— Je suggère de passer aux bottines orthopédiques.

— Qu'est-ce que c'est, exactement ?

— Ce sont aussi des sortes d'orthèses, qui monteront jusqu'aux genoux, mais sans passer sous le pied. Ainsi, Fraser pourra bouger et se pencher plus facilement.

Il fallut quelques semaines avant qu'elles ne soient prêtes, mais leur impact fut immédiat. Elles ressemblaient un peu à des patins à glace, sans lames, bien entendu.

Fraser fut immédiatement bien plus mobile à la maison et pouvait se pencher plus facilement, comme Lynne nous l'avait assuré. Il était plus habile et plus souple. J'ai vraiment remarqué la différence lorsqu'il s'est mis à sautiller sur le trampoline, avec Billy à ses côtés, comme souvent. Il commença aussi à marcher plus vite, presque à courir, ce qui était une avancée extraordinaire pour lui.

Cette nouvelle mobilité m'encourageait d'autant plus qu'elle suivait une conversation fort intéressante que j'avais eue à la maternelle. Au début, j'étais toujours inquiète si une institutrice m'approchait lorsque j'attendais Fraser à la sortie.

— Louise, me dit-elle. Non, ne vous inquiétez pas, je voulais juste vous demander quelque chose.

— Oui ? dis-je avec un peu d'appréhension malgré son sourire.

— Est-ce que vous avez étudié les formes géométriques avec Fraser à la maison ?

J'étais un peu décontenancée.

— Euh, non. Il a un jeu dans lequel il doit mettre les carrés, les cercles et les triangles dans les trous correspondants, mais c'est tout. Pourquoi ?

— Parce que, aujourd'hui, il a reconnu un octogone, un hexagone et un pentagone, et les a nommés par leur nom.

J'étais un peu éberluée, mais je tentai de le cacher.

— C'est du Fraser tout craché. Il vous réserve toujours des surprises.

— Ça, on peut le dire !

Je savais que l'école faisait de gros efforts pour s'adapter aux besoins particuliers de Fraser et qu'il soit préparé à la « grande école » à la rentrée suivante.

— Vous voulez que je l'interroge à ce sujet ?

— Non, c'est inutile, mais ce serait bien si vous pouviez l'observer et nous signaler d'autres surprises éventuelles. Cela nous aide beaucoup à adapter les leçons en fonction de ses désirs.

Cette nouvelle ne déclencha pas la réaction que j'espérais lorsque je l'annonçai à Chris le soir même. Au lieu d'être sidéré, il se contenta de hocher la tête.

— Il fait souvent ce genre de truc.

— Ah bon ? Quand ?

— Tu sais, lorsqu'on jouait avec maman ?

— Ah oui, les dés, dis-je, me souvenant soudain de ce qui s'était produit l'année précédente, lorsque nous avions rendu visite à la mère de Chris et à son compagnon.

Ils aimaient beaucoup les jeux de société, et la mère de Chris avait trouvé un vieux jeu « Serpents et échelles » dans une kermesse. Comme moi, elle essayait toutes sortes de jeux dans l'espoir que Fraser s'intéresse à l'un d'eux. Celui-ci semblait lui plaire. Les pièces étaient assez grosses, ce qui était pratique, car il avait du mal à saisir de petits objets.

Au cours de la partie, la mère de Chris donna les dés à Fraser. Il les lança et, avant que l'on puisse parler, il annonça :

— Cinq !

C'était bien un cinq, mais nous étions surpris qu'il n'ait pas marqué une pause pour compter les points.

Cela se renouvela lors du tour suivant :

— Six, dit-il après avoir gagné le droit de rejouer.

Cela se poursuivit pendant toute la partie.

— Quatre. Trois…

Chaque fois, il donna le résultat instantanément. Il n'avait que trois ans, à l'époque, et nous n'avions jamais joué à aucun jeu de plateau auparavant.

— Oui, j'avais oublié. Et puis, il a compté à reculons de vingt à zéro lorsqu'il n'avait que deux ans.

— Il a fait quelque chose qui m'a surpris, l'autre jour. Je voulais t'en parler, me dit Chris, une fois que nous fûmes lancés sur ce thème. On était dans la voiture pendant que tu faisais des courses avec Pippa. Il m'a montré une maison et m'a dit « Regarde la girouette sur la maison ». Je ne savais pas qu'il savait ce que c'était.

— L'autre jour, il a prononcé le mot « gravité ». Je ne croyais pas qu'il savait ce que cela signifiait, alors, je lui ai demandé ce qu'était la gravité. Il m'a regardée et m'a dit « C'est ce qui nous tient par terre » et il est parti.

On éclata de rire tous les deux. En aucun cas, il ne pouvait apprendre ce genre de choses à la maternelle. Destinée aux enfants de deux à quatre ans, elle se consacrait surtout aux jeux et aux activités. En ce moment, les élèves passaient la plus grande partie de leur temps à cueillir des jonquilles pour un projet de printemps.

Une question restait donc en suspens : d'où tenait-il ces informations ? Il ne savait pas lire, car nous lui faisions toujours la lecture. Ce n'était pas non plus la télévision, car il se contentait de regarder des dessins animés comme *Tom et Jerry,* la chaîne jeunesse de la BBC et un ou deux programmes pour les enfants. Il pouvait se mettre très en colère si une autre émission passait.

Pourtant, ces connaissances venaient bien de quelque part. Il ne regardait pas les émissions sur les mathématiques ou sur les sciences météorologiques sur *National Geographic* en secret. Du moins, c'est ce que je croyais. À présent, j'avais des doutes.

C'est l'un des paradoxes des enfants autistes. Selon les évaluations conventionnelles, ils n'évoluent pas aussi bien que les autres. Or, souvent, ils ont des capacités bien supérieures aux enfants normaux du même âge. Cela tient du cliché de dire que tous les enfants autistes sont surdoués, et je ne voulais pas qu'on lui colle l'étiquette d'une sorte de Rain Man capable de réciter le Bottin et de mémoriser les cartes au casino. Cela me fit néanmoins comprendre qu'il n'était pas le cas désespéré que certains pensaient et me donna un nouvel élan. Je m'inquiétais toujours de la future scolarité de Fraser. Les paroles que nous avions entendues à Aberdeen lorsque le diagnostic avait été posé me revenaient toujours à l'esprit. « Fraser ne pourra jamais suivre une scolarité normale. »

D'une certaine manière, on avait déjà contrecarré cette sinistre prédiction. Sa maternelle n'avait rien d'un établissement spécialisé. Bien sûr, c'était le seul enfant qui avait besoin d'une attention particulière, mais, la plupart du temps, il était un élève comme les autres dans la classe. Au fond de moi, j'avais envie de le voir dans une école primaire avec d'autres enfants de son âge, où il serait traité comme tout le monde.

Je me le représentais déjà intérieurement. Je l'accompagnerais jusqu'au portail et je le regarderais monter les marches dans son petit uniforme, un sac à dos sur l'épaule.

C'était utopique. Ses problèmes étaient encore trop nombreux pour qu'on le transforme en écolier ordinaire, peu importe ce qu'on entend par là. Mais une mère a bien le droit de rêver, n'est-ce pas ? Des petits signes encourageants comme ceux-là renforçaient mes espoirs.

Avec le printemps qui s'installait et les jours qui s'allongeaient lentement, j'étais de plus en plus déterminée à lui laisser sa chance.

Comme d'habitude, les premiers signes du printemps coïncidaient avec l'anniversaire de Fraser. Il était difficile de croire qu'il avait quatre ans. Il me semblait que, hier encore, il était arrivé au monde en hurlant à en réveiller les morts.

Contrairement à Noël qui ne l'avait jamais vraiment intéressé, Fraser réagissait bien à son anniversaire. Sans doute parce que l'événement était centré sur lui. Cela comblait également son besoin d'ordre. Il comprenait qu'il avait un an de plus ; il pouvait mettre un chiffre sur l'événement. Dans son esprit autistique confus, cela avait sans doute beaucoup d'importance.

C'était donc avec joie que, tous les ans, je me consacrais à la même routine. Cela commençait la veille, lorsque je lui préparais le gâteau décoré avec son nom et, cette année-là, une seule bougie en forme de chiffre quatre. Ensuite, lorsqu'il était couché, je décorais la cuisine et toute la maison.

Je posai le gâteau au milieu de la table, avec toutes les cartes de vœux disposées tout autour. Ensuite, je suspendis une banderole JOYEUX ANNIVERSAIRE.

Puis, avec Chris, je gonflai des ballons que je disposai dans le salon avec les cadeaux. Chris gonfla également un ballon géant à l'hélium, orné d'un gigantesque « 4 ». J'accrochai d'autres banderoles JOYEUX ANNIVERSAIRE dans le salon, sur la porte de la salle de bain afin que ce soit la première chose que Fraser voie en sortant de sa chambre.

Fraser aimait beaucoup ce rituel et était tout excité dès le matin.

— C'est mon anniversaire. Fraser a quatre ans, dit-il pour la première, mais pas la dernière fois de la journée.

Contrairement à son habitude, Billy, qui semblait également savoir ce qui se passait, s'assit sur la chaise de Fraser, qui sembla s'en réjouir.

— C'est mon anniversaire, Billy. Fraser a quatre ans aujourd'hui, disait-il, presque entre chaque bouchée.

Ensuite, on alla au salon, et l'enthousiasme de Fraser monta d'un cran. Chris et moi avions disposé quelques cadeaux. Comme d'habitude, c'était un pari. Fraser les aimerait peut-être, peut-être pas, mais c'était une joie de le voir les déballer un par un.

Cette année, nous lui avions acheté une tablette Leapad, une charmante plate-forme d'apprentissage, avec des jeux intégrés. Nous avions également acheté un casque et des jeux supplémentaires.

Billy était toujours à côté de Fraser, fasciné par le papier-cadeau sous lequel il s'enterrait. Lorsque Chris, joueur, envoya un morceau de bolduc frisé à travers la pièce, le chat courut après comme si sa vie en dépendait. C'était adorable de le voir s'amuser avec nous. Maintenant, il faisait vraiment partie de la famille.

Comme c'était jour de classe, je devais préparer Fraser. Il ne protesta pas, tant qu'il portait son badge 4 ANS ! Il était content. Il savait aussi qu'il aurait un gâteau spécialement pour lui à la maternelle comme à chaque anniversaire. Lorsque je revins le chercher, il jouait dans le hall avec sa tablette, ce qui ravit Chris à un point inimaginable. L'année précédente, nous avions dépensé une petite fortune pour une moto de police télécommandée qui l'avait laissé totalement indifférent.

On lui chanta *Bon Anniversaire* et on le laissa souffler la bougie. Ensuite, ce fut une soirée ordinaire.

Nous n'en étions pas encore au point où nous pouvions inviter d'autres enfants : Fraser était encore très solitaire à la maternelle. Il était content de jouer avec les autres sans créer de véritables relations. Il n'avait donc pour ainsi dire pas de copains. Cela me rendait un peu triste, mais je savais qu'il avait Pippa et son meilleur ami, Billy.

Nous avions pu constater à quel point ils étaient liés quelques semaines avant cet anniversaire.

Fraser était allé chez le médecin pour sa dernière injection de vaccin ROR, contre la rougeole, les oreillons et la rubéole. Étonnamment, il supportait parfaitement les piqûres. On aurait pu s'attendre à ce que ce soit un cauchemar absolu, mais il n'en était rien.

Il avait eu plus que sa part l'aiguille dans les bras au fil des ans, mais il n'avait jamais fait de cinéma. Il en avait été de même cette fois-là.

Malheureusement, à son retour à la maison, il n'était plus très en forme. Il avait bien supporté le trajet en voiture, mais, une demi-heure après notre retour, il devint fiévreux et las. Je n'appelai pas le docteur immédiatement, car on m'avait dit qu'il risquait d'avoir de la fièvre et des vertiges quelques heures après l'injection. Je devais juste m'assurer qu'il soit bien hydraté, qu'il ne vomisse pas et qu'il n'ait pas trop chaud. Comme il ne voulait pas aller au lit, je l'avais installé sur le divan, au salon en face de la télévision.

Chris était toujours au travail, il me revenait de préparer le repas et, Pippa se montrant d'humeur capricieuse, je devais me contenter de le surveiller de loin. Par chance, Billy était là pour me seconder.

Il nous attendait devant la porte lorsque nous étions rentrés. Une fois de plus, il semblait avoir senti qu'on aurait besoin de lui. J'avais à peine posé une couverture sur le divan lorsqu'il apparut. Il sauta immédiatement sur les genoux de Fraser et s'allongea contre lui, presque immobile.

C'était un chat trop vivant pour rester allongé très longtemps ; je supposai donc qu'il ne tarderait pas à partir. Vingt minutes plus tard, pourtant, lorsque je retournai dans la chambre, ils étaient encore là tous les deux, blottis l'un contre l'autre. Billy n'irait nulle part. Cela retint mon attention et me prouva ce que je commençais à soupçonner depuis longtemps.

On dit que les chats seraient capables de savoir quand les gens sont malades. Certains affirment par exemple qu'ils peuvent détecter une crise d'épilepsie avant même qu'elle ne se produise. D'autres prétendent que le ronronnement aide à la guérison. Cela aurait un rapport avec les vibrations.

N'étant pas scientifique, je ne sais pas si on possède la moindre preuve à l'appui de ces théories. Mais je sais bien ce que j'ai vu cette après-midi-là. Au lieu de hanter les terres de Balmoral à la recherche de souris ou d'oisillons, Billy était resté à l'intérieur avec Fraser. Il ne l'avait pas fait pour son propre plaisir, car il n'en tirait aucun avantage, Fraser n'étant pas d'humeur à se rouler sur le tapis ni à jouer dans l'escalier ou le jardin. Avait-il une autre motivation ?

Lorsque Chris rentra du travail, la température de Fraser avait déjà un peu baissé, mais il était toujours groggy et patraque. On décida donc de lui préparer un repas léger et de le mettre au lit. Billy avait pris l'habitude de laisser Fraser s'endormir et de s'échapper dans la nuit pour passer quelques heures dehors. Pas cette fois. Il s'installa au pied du lit et y resta jusqu'au lendemain matin, où son copain était sur la voie de la guérison. Ce ne fut qu'à ce moment qu'il se sentit libre de quitter son poste et de filer par la chatière pour partir je ne sais où.

Parfois, je me demandais si je ne me faisais pas des illusions sur leurs relations, si je n'exagérais pas l'influence que Billy avait sur Fraser.

Chris était toujours sceptique. Il ne doutait pas de leur affection l'un pour l'autre, mais la comprenait comme une amitié entre un garçon et son animal de compagnie, ni plus ni moins.

Parfois, je me sentais bêtement naïve. Comment un chat pourrait-il exercer une telle influence sur un petit garçon ? Quand j'y réfléchissais froidement, cela n'avait aucun sens.

Ce printemps-là, quelques incidents me fournirent les preuves dont j'avais besoin. Pour la première fois, je pensai ne pas être aussi naïve ni aussi stupide.

Il était rare que Fraser soit content d'entendre quelqu'un frapper à la porte, mais, un beau matin, il réagit à ce son en allant directement dans le couloir.

— C'est Kay ?

— Oui, Fraser, je crois.

Kay était l'ergonome qui avait connu Fraser tout petit. Elle avait pris rendez-vous pour évaluer ses progrès. De toutes les thérapies que Fraser suivait, l'ergonomie avait été la moins efficace. C'était censé l'aider à effectuer les gestes quotidiens, comme se brosser les dents, s'habiller, manger, écrire. Mais c'était toujours la bagarre avec les thérapeutes, pour peu de progrès.

Nous supposions que cela avait beaucoup à voir avec le fait qu'il était plus déterminé à ne pas faire les choses qu'à les entreprendre. Donc, pendant un moment, nous avions cessé cette thérapie, car cela ne nous menait nulle part.

C'était une des raisons pour lesquelles Kay n'avait travaillé avec Fraser que lorsqu'il était beaucoup plus jeune, avant que le diagnostic ne soit posé. Elle ne l'avait pas vu depuis deux ans et fut sidérée de constater tous ses progrès.

Pour commencer, Fraser entama la conversation avec elle.

— Je t'ai connu lorsque tu étais bébé. Tu habitais dans une autre maison, à l'époque.

— Celle où Billy est arrivé ?

Kay me regarda, intriguée.

— Je ne connais pas Billy, dit-elle.

— C'est le chat de Fraser. C'est Billy, dit-il en regardant son ami qui venait de pointer son nez par la chatière.

— Oh ! Bonjour, Billy.

Je voulais également montrer à Kay à quel point son développement moteur s'était amélioré.

— Montre à Kay comment tu montes bien l'escalier, dis-je.

— Allez, viens, Billy, dit-il, invitant le chat à monter avec lui.

En un éclair, Billy se trouvait sur le demi-palier et attendait que Fraser le rejoigne. Puis ils restèrent un instant à se cajoler mutuellement.

— Oh ! ils sont mignons ! s'exclama Kay.

Il y avait un peu de paperasse à remplir, bien entendu. Après quelques minutes d'observation, j'invitai Kay à prendre le thé au salon, pendant que Fraser regardait la télévision. Comme d'habitude, il était avec Billy, et ils se frottaient l'un contre l'autre. Je n'y prêtai guère attention. Pour moi, c'était aussi normal que de voir le soleil se lever le matin.

Kay était en train de m'expliquer quelque chose lorsqu'elle perdit soudain le fil de ses pensées.

— Oh ! c'est vraiment étrange. Je n'ai jamais vu un enfant et un chat interagir à ce point. Quand cela a-t-il commencé ?

Personne ne m'avait jamais interrogée sur leur relation auparavant. Je lui expliquai donc que nous avions adopté Billy neuf mois plus tôt et qu'ils s'étaient tout de suite entendus à merveille.

Elle resta abasourdie lorsque je lui racontai la scène du premier soir à Aboyne. Kay savait à quel point Fraser était sensible et peureux lorsqu'il était petit et avait du mal à croire qu'il était entré dans la cage de Billy et avait commencé à jouer avec lui sans se soucier de rien.

Je ne pouvais guère lui parler de l'influence qu'à mes yeux Billy exerçait sur Fraser depuis son arrivée, de peur de passer pour une folle.

Finalement, ce ne fut pas nécessaire.

— Drôles de créatures, ces chats, dit Kay. J'ai l'impression que Billy est une sorte de héros.

Son regard me dit qu'elle comprenait parfaitement la situation.

Quelques jours après la visite de Kay, je reçus un coup de téléphone de Liz, de la Cats Protection.

Elle voulait me demander un service. Son association voulait faire connaître le travail qu'elle effectuait et voulait trouver un bon exemple de chats et de personnes qu'elle avait mises en contact.

— Je n'ai jamais oublié Fraser et Billy, et je me demandais comment ils s'entendaient.

Plus que quiconque, Liz serait compréhensive, et je lui parlai donc de l'influence de Billy sur Fraser. C'était libérateur de se confier à quelqu'un, qui, j'en étais sûre, me comprendrait.

— Oh ! Louise, c'est fantastique ! J'étais persuadée qu'ils iraient bien ensemble. Ça vous ennuierait si j'écrivais un article sur notre site web ?

— Bien sûr que non, répondis-je.

J'avais oublié l'affaire, mais, quelques jours plus tard, je reçus un autre appel, du bureau de Londres, cette fois. Ils avaient lu l'histoire que Liz avait publiée sur le site local et me demandaient l'autorisation de l'utiliser sur un plan national.

— Nous essayons de sensibiliser la population, mais nous voulons aussi faire comprendre que les animaux peuvent jouer un rôle très important auprès des enfants autistes. Il semblerait que Fraser et Billy aient une relation très particulière, et c'est exactement l'exemple qu'il nous faut, me dit la femme.

Un peu hésitante, je lui demandai ce qu'elle avait exactement à l'esprit.

— Eh bien, nous pensions contacter la presse nationale pour voir si quelqu'un voudrait bien rédiger un papier.

Je lui demandai quelques jours de réflexion pour que

je puisse en parler à Chris. Comme prévu, il fut abasourdi lorsque j'abordai le sujet.

— Pourquoi veulent-ils écrire un article sur Fraser et Billy ? dit-il en hochant la tête après que les enfants furent couchés.

— Parce qu'ils pensent que leur relation est très profonde et pourrait permettre aux gens de comprendre que des chats peuvent aider des enfants comme Fraser. Si cela peut aider une maman qui est à ma place, je crois que l'on peut accepter.

— OK, je ne vois pas de mal à cela, tant que cela ne perturbe pas Fraser.

Le lendemain, j'appelai la dame de la société de protection des chats et lui donnai le feu vert en m'attendant à ne plus jamais en entendre parler. Moins d'une heure plus tard, elle appela pour m'annoncer une nouvelle surprenante.

— Bonjour, Louise, un journaliste du *Daily Mail* aimerait vous rencontrer.

J'étais abasourdie. Je pensais que notre histoire ferait quelques lignes dans un magazine féminin. Je ne pensais pas qu'un grand journal national serait intéressé.

— Bon, d'accord.

Une journaliste, appelée Liz également, m'appela plus tard dans la journée et me posa des milliers de questions. De quoi souffrait Fraser ? Qu'est-ce qui m'avait décidée à lui offrir un chat ? Comment Billy l'aidait-il ? Quels changements avais-je constatés depuis l'arrivée de Billy ?

C'était surréaliste. Pendant des mois, je m'étais considérée comme une folle à oser penser à ce genre de choses. Désormais, j'en parlais un peu partout, y compris à une journaliste d'un quotidien lu par des millions de personnes. C'était une expérience qui dépassait l'entendement. Liz devait obtenir l'accord de son rédacteur en chef d'abord, mais elle me dit qu'on pourrait m'envoyer un photographe pour prendre des photos de Fraser et Billy.

— À condition qu'on me prévienne largement à l'avance, répondis-je. Je n'ai pas envie que quelqu'un débarque sur le pas de ma porte à l'improviste.

— Bien sûr. Et nous enverrons quelqu'un qui a l'habitude de travailler avec des enfants comme Fraser et avec des animaux.

De nouveau, je pensais ne plus entendre parler de cette histoire, mais quelques heures s'écoulèrent et elle me rappela pour m'annoncer qu'un photographe appelé Bruce Adams allait venir nous voir quelques jours plus tard.

Fraser se montra étonnamment conciliant lorsque je lui expliquai la chose.

— Un monsieur va venir pour prendre des photographies de Billy, dis-je en faisant attention à ne lui imposer aucune pression.

— OK, répondit-il avant de trottiner pour en parler à son copain.

— Billy, un monsieur va venir te prendre en photo.

Bruce Adams s'avéra être le plus adorable des hommes. Il avait déjà travaillé avec des enfants handicapés, dont une jeune fille mongolienne, qui était devenue mannequin. Il avait également travaillé avec beaucoup d'animaux.

L'ancien Fraser se serait montré excessivement méfiant, mais la nouvelle mouture fut parfaite. Je ne savais pas si Billy allait jouer le jeu, mais il sembla lui aussi succomber au charme de Bruce. Il s'allongea sur le tapis avec Fraser, et ils se frottèrent le museau, comme tous les autres jours de la semaine.

— C'est fantastique, ne cessait de répéter Bruce, tandis qu'il prenait des clichés depuis une bonne demi-heure.

Je ne savais pas si c'était fantastique ou non. C'était devenu normal pour moi.

Bruce me dit qu'il me préviendrait lorsque le papier sortirait. De nouveau, je me dis qu'il passerait sûrement aux oubliettes. Cette fois, ma prudence se révéla fondée. Mars passa, puis avril et mai.

Comme maman et papa lisaient toujours le *Daily Mail*, je leur avais demandé de guetter la parution de l'article. Rien ne se passa. Pendant un moment, je fus un peu déçue. J'aurais aimé voir les photographies, au moins.

J'oubliai vite cet incident néanmoins. J'avais d'autres chats à fouetter !

11

Repères mouvants...

L e meilleur conseil que j'aie jamais reçu quant à l'éducation de Fraser venait d'une autre maman. Je l'avais rencontrée au moment du diagnostic, au cours de nos allées et venues à Aberdeen.

Elle était, elle aussi, mère d'un enfant handicapé, et nous avons quelquefois pris un café ensemble.

— Quand on a un enfant différent, me dit-elle, on ne peut faire aucun projet d'avenir. Il faut oublier ses rêves et ses ambitions. Il faut se contenter de vivre au jour le jour.

Cela semblait trop simple pour être vrai et il me fallut un certain temps pour l'accepter. De nature, j'avais toujours tout anticipé, à cause de mon signe astral, peut-être... Pourtant, lorsqu'on réussit à mettre un nom sur la condition de Fraser, je compris enfin toute la sagesse de ces paroles. Lentement mais sûrement, Chris et moi avons appris à vivre au jour le jour. Ce n'était pas grâce à une inspiration philosophique spirituelle. Nous n'avons pas eu besoin non plus de lire un ouvrage à la mode sur le thème « profiter de l'instant présent ». Nous prenions peu à peu conscience que c'était la seule position réaliste, car, avec Fraser, rien n'était prévisible. Ce qui fonctionnait un jour pouvait très bien échouer le lendemain. Les repères ne cessaient de changer de place.

Je me souvins de ses paroles lors de l'été 2012. Au moment où nous pensions devoir suivre une direction, nous avons brusquement dû changer de cap. Du jour au lendemain, tout avait basculé.

Fraser était d'un tempérament versatile. Son humeur pouvait se modifier d'un jour à l'autre, d'une minute à l'autre. C'était notre réalité quotidienne.

Dans l'ensemble, nous avions eu de la chance. Nous avions conservé une certaine cohérence dans le chaos, si cela veut dire quelque chose.

Nous connaissions les choses qui étaient susceptibles de le faire exploser, et, à nos dépens souvent, nous avions appris à les maîtriser. Nous savions néanmoins que nous risquions de nous heurter à de soudains retours en arrière. Et ce fut précisément ce qui se passa.

J'ai du mal à déterminer le moment exact où cela a commencé, mais les signes annonciateurs se produisirent au moment où il apprit qu'une de ses assistantes préférées allait quitter la maternelle. C'était une jeune fille intelligente et enjouée, qui avait fait preuve d'une patience infinie avec Fraser. Elle s'était prise d'affection pour lui, et il l'aimait beaucoup.

Cath m'avait avertie de son départ. On lui avait offert un emploi à temps plein dans une plus grande école et, c'était bien compréhensible, elle l'avait accepté. Lorsque j'annonçai la nouvelle à Fraser, il estima que c'était une trahison personnelle. Il annonça soudain qu'il ne l'aimait plus. Pire, il commença à détester la maternelle parce qu'elle y travaillait encore. Aller à l'école le matin, du moins par rapport aux réactions de Fraser, se passait en douceur. Du jour au lendemain, nous étions passés en zone de guerre. S'il voyait sa voiture dans le parking, il commençait à hurler et à se débattre.

— Fraser l'aime pas ! criait-il. Fraser veut pas la voir !

Il me fallait souvent une bonne dizaine de minutes pour le calmer et le persuader d'aller en classe. Une fois, je dus renoncer et rebrousser chemin. Ce ne fut qu'après son départ que Fraser retrouva un peu de sérénité. Néanmoins, cette incidence sembla déclencher d'autres comportements. C'était un peu comme s'il s'était heurté à un mur de briques. De nombreux éléments positifs commencèrent à se désintégrer.

Le deuxième signe tangible fut sa nervosité à la maison. Tout d'un coup, en rentrant de l'école, il se mit à dire que personne ne l'aimait.

J'essayais de le rassurer, de lui dire qu'Unetelle et Unetelle l'aimaient beaucoup, mais il ne voulait rien entendre.

— Non, c'est pas vrai ! Elle m'aime pas ! criait-il, se mettant dans tous ses états.

Cela faisait un moment que je ne l'avais pas vu s'empourprer de rage, mais tout recommençait.

Je demandai à Cath s'il s'était disputé avec les autres enfants, mais rien ne s'était passé. Il ne se liait pas vraiment avec ses camarades, il était donc difficile de savoir si quelqu'un l'avait perturbé.

Le départ de l'assistante sembla miner sa confiance en lui, car, à partir de là, il se mit à croire que Pippa, Chris et moi, nous ne l'aimions plus non plus.

— Papa m'aime pas, se mettait-il à dire à propos de rien.

— Ce n'est pas vrai, Fraser, papa t'aime beaucoup.

Rien n'y faisait. Il se bouchait les oreilles et hurlait

jusqu'à ce que je me taise. Ces étranges comportements s'aggravèrent jusqu'à ce qu'il finisse par se sentir mal à l'aise à propos de tout et de rien. Soudain, toutes ses angoisses se concentrèrent sur un seul sujet : sa chambre.

Tout d'abord, il se plaignit de la couleur des murs. Nous les avions peints en jaune paille très pâle, presque neutre. Un soir, alors que j'essayais de le coucher, il s'assit dans son lit et mit les mains sur ses oreilles.

— Le mur fait trop de bruit ! cria-t-il avant de hurler à en briser les vitres.

C'était épouvantable. De plus, cela sembla le faire basculer dans un autre registre, et, bientôt, il se plaignit de tout. Le lendemain, il me réveilla par ses cris.

Il faisait nuit noire et, pendant un instant, nous avions cru qu'un intrus s'était introduit dans la maison, tant il hurlait. Lorsqu'on arriva dans sa chambre, il nous dit que les fleurs « tombaient du plafond ».

Pendant un instant, on en resta bouche bée. On ne savait pas de quoi il parlait, mais on finit par comprendre qu'il s'agissait des petites étoiles lumineuses qu'on avait fixées au plafond quand qu'il était petit. Autrefois, cela le réconfortait ; pour une raison inexplicable, c'était exactement le contraire maintenant. On les enleva donc.

Bientôt, il fallut procéder à d'autres changements. Il avait un dessus-de-lit imprimé avec des personnages de Disney qu'il aimait beaucoup. Un soir où je le bordais, il commença à s'agiter et à rejeter le duvet.

— Je ne l'aime pas ! Je veux pas être enfermé dedans !
— Tu en veux un autre ?

Il hocha la tête. Je le remplaçai par un blanc.

Ensuite, il s'énerva contre l'alèse imperméable que nous avions mise sur son matelas pour prévenir tout accident. Tout d'un coup, cela n'allait plus ; il fallut l'enlever.

Il déclara également qu'il ne voulait plus porter de pantalon de pyjama, parce que cela l'empêchait de bouger les jambes et de se frotter les genoux.

La situation devenait intolérable. L'heure du coucher était un terrain miné, un champ de bataille. Le bain avait été plutôt serein, ces derniers mois, mais de nouveau, c'était une épreuve. Il commençait à se plaindre de sa chambre pendant qu'il était encore dans la baignoire.

Il disait qu'il ne voulait plus voir les « murs bruyants », qu'il ne voulait pas être enfermé dans son duvet. C'était décourageant. Nous avions avancé à grands pas, mais nous reculions désormais aussi vite.

De nouveaux éléments nous permirent de trouver une issue. Un livre, tout d'abord : *Je suis né un jour bleu,* de Daniel Tammet, un autiste Asperger. Cette lecture nous en apprit beaucoup sur l'autisme, et nous pûmes faire des parallèles avec Fraser.

Par exemple, Tammet avait un tel besoin d'ordre qu'il mangeait exactement quarante-cinq grammes de porridge au petit-déjeuner et ne pouvait pas sortir de chez lui sans compter le nombre de vêtements qu'il portait.

Les obsessions de Fraser qui nous obligeaient par exemple à couper ses toasts en petits triangles semblaient bien légères en comparaison.

Lorsque Tammet était stressé ou malheureux, il fermait les yeux et comptait. Je soupçonnais Fraser de faire la même chose. Par bien des aspects, ce livre fut une véritable révélation. J'avais l'impression de comprendre certaines facettes du caractère de Fraser pour la première fois. Dans un chapitre, l'auteur racontait qu'il calculait à une vitesse extraordinaire et qu'il voyait les nombres comme des couleurs, des formes et des textures. Il racontait également que certaines couleurs le perturbaient. Par exemple, on lui offrit une bicyclette rouge et jaune à Noël, dont il ne voulut jamais se servir parce qu'elle lui donnait l'impression d'être en feu. Il disait aussi que les autistes confondent souvent les différents sens et pensent entendre ce qu'ils voient, par exemple.

Dès que je lus ces lignes, une pièce du puzzle se mit en place : cela expliquait pourquoi Fraser se plaignait du bruit que faisaient les murs.

Depuis qu'il avait protesté, nous avions essayé d'autres couleurs en proposant quelques coups de pinceau d'échantillons sur le mur. Aucune n'avait remporté de succès.

— Pourquoi ne pas le laisser choisir ?

— Ça vaut peut-être la peine d'essayer.

J'allai donc chercher un nuancier chez le droguiste et le montrai à Fraser.

— De quelle couleur aimerais-tu que soit ta chambre, Fraser ?

Du doigt, il indiqua des teintes très claires de vert et de bleu. On se plia donc à ses désirs. Avec Chris, je passai un long week-end à redécorer la chambre. À la fin, tout était bleu et vert.

Encouragée par ce que j'avais trouvé dans le premier livre, j'en consultai d'autres. J'y trouvai beaucoup de conseils utiles, dont certains évoquaient le sens de l'ordre que les autistes trouvent rassurant.

Les jouets de Fraser étaient toujours par terre, afin qu'il puisse les choisir au gré de ses envies. Suivant le conseil d'un des livres, je rangeai tout dans une seule boîte que je glissai sous son lit.

Je coordonnai également tous les autres éléments de la chambre avec les nouvelles couleurs bleue et verte. Je lui achetai une paire de draps blancs, imprimés de dinosaures verts. Je trouvai des images bleues et vertes pour décorer les murs. De nouveau, selon l'un des conseils d'un livre, on passa un temps fou à poser les images à la même hauteur, séparées par le même intervalle.

Parfois, c'était une nouvelle épreuve d'« essais et horreurs ». Fraser s'opposait à la présence d'un objet qu'on devait aussitôt déplacer. Finalement, la situation finit par se stabiliser, et, au bout de six semaines environ, on reprit contrôle du coucher.

Le deuxième élément qui nous a beaucoup aidés, c'est Billy. Plus que jamais, ce fut notre planche de salut. Dès le début, il comprit que Fraser était agité à l'heure du coucher. Il brisa donc sa propre routine et s'attarda beaucoup plus longuement près de lui, le soir.

Comme toujours, il venait à la salle de bain quand Fraser était agité et posait les pattes sur le bord de la baignoire. Lorsque Fraser protestait parce qu'il n'aimait pas certains éléments de son lit, Billy s'y allongeait, comme pour dire que tout allait bien.

Nous profitions souvent de son aide. « Regarde, Fraser, Billy aime bien ton lit », disais-je, ou « Billy aime bien ta couette ». Cela aidait Fraser à se calmer. « Mon Dieu, merci, Billy », commença-t-on à dire régulièrement.

On savait qu'on ne pouvait pas négliger ce retour en arrière et se contenter de le cacher sous le tapis. On en parla donc au psychologue d'Aberdeen chargé de l'évolution de Fraser.

Avant le rendez-vous, on me demanda de dresser la liste de tout ce qui s'était produit et de résumer la situation générale, d'établir, en fait, la liste de ce que je trouvais positif et de ce que je trouvais négatif.

Un soir, après que Chris, Billy et moi, on se fut battus avec Fraser pour le mettre au lit, je m'installai devant mon ordinateur et commençai à taper. *Dernières nouvelles de*

Fraser, écrivis-je en haut de la page. Puis je dressai la liste de ce qui me passait par l'esprit. D'une certaine manière, c'était un instantané de nos vies. Lorsque je regarde cette feuille de papier, je n'arrive toujours pas en croire mes yeux, tant il nous faisait mener une vie infernale.

Je commençai par une description générale et par citer ce qui, dans mon esprit, était la chose la plus positive du moment : la maternelle. Il s'y développait tranquillement. Il s'exprimait beaucoup mieux, même s'il avait toujours ses tics de langage. Il était content de jouer avec les autres enfants, sans toutefois nouer de véritables relations.

À la maison, les séances de kinésithérapie avec Lindsey commençaient à porter leurs fruits. Désormais, il était capable de monter et de descendre l'escalier tout seul. Je ne précisai pas que, souvent, Billy était là pour l'encourager.

Il faisait désormais preuve d'une excellente mémoire, surtout en ce qui concernait les voitures. Lorsque nous allions quelque part, il se remémorait le trajet immédiate-ment. Comme Cath l'avait prédit, après avoir reconnu la couleur des voitures, il citait maintenant la marque et le modèle de celles que nous croisions sur la route.

— C'est une Range Rover, disait-il. C'est une Ford.

Donc, en y réfléchissant, les éléments positifs ne manquaient pas. Sa vue était excellente également. Il voyait souvent les choses bien avant moi ou Chris. Souvent, on mettait sa parole en doute, mais, en s'appro-chant, on constatait qu'il ne s'était pas trompé. Il distin-guait des objets qui, pour moi, n'étaient que des points minuscules dans le paysage.

Je citai également les progrès accomplis dans la recon-naissance des nombres et des formes. Il restait néanmoins de nombreux points noirs. Cela me faisait de la peine de les citer, mais c'était nécessaire si on voulait que le psychiatre nous aide.

La plupart des problèmes concernaient le domaine sensoriel. Sa dernière phobie touchait ses cheveux, qu'on ne pouvait plus brosser sans qu'il explose. J'exposai également les problèmes éprouvés avec sa chambre et la couleur des murs.

Il était toujours capable d'accès de colère épouvantables. Il se mettait dans tous ses états d'un seul coup lorsqu'il ne comprenait pas ce qui se passait, si bien que nous devions toujours tout lui expliquer à l'avance.

Le jour même, une émission télévisée qu'il n'aimait pas avait été diffusée à un moment inattendu. Aussitôt, il s'était bouché les oreilles et avait commencé à pleurer.

Je savais également que les médecins m'interrogeraient sur les gestes qu'il faudrait que Fraser exécute, d'autant plus qu'il devait bientôt aller à la grande école. Comme je commençais à me fatiguer, je me contentai d'établir une longue liste. *Fraser ne sait pas : fermer une fermeture à glissière, boutonner, nouer ses lacets, s'habiller, se déshabiller, se servir d'un couteau et d'une fourchette.*

La liste était interminable. Quant à devenir propre, le pire cauchemar pour nous, je signalai que je me heurtais à un refus pur et simple.

Cet exercice était vraiment démoralisant : la colonne des éléments négatifs était beaucoup plus longue que celle des éléments positifs. L'optimisme que j'avais ressenti quelques semaines plus tôt s'était évaporé. J'avais le moral à plat, mais bientôt je serais encore plus déprimée.

Quelques semaines plus tard, j'installai Fraser et Pippa dans la voiture afin d'aller voir le psychologue en chef de l'hôpital des enfants.

La démarche fut perturbante dès le début. Le cabinet du médecin était clairement conçu pour qu'elle puisse évaluer les enfants, car de nombreux jouets jonchaient le sol. Surprise, surprise, Fraser se dirigea tout de suite vers les petites voitures qu'il retourna pour faire tourner les roues. Pippa commença à jouer avec quelques poupées dans un coin.

La praticienne avait un dossier qui ressemblait à un précis sur le cas de Fraser, remontant au premier diagnostic posé quand il avait dix-huit mois, auquel on avait adjoint tous les rapports des différents thérapeutes.

Elle discuta un peu avec Fraser. De bonne humeur, il se montra assez gentil avec elle. Ensuite, elle eut une longue conversation avec moi, pendant laquelle elle m'interrogea sur son comportement.

Comme d'habitude, je jouai l'honnêteté. Il ne servirait à rien de présenter Fraser sous un meilleur jour qu'en réalité. Je lui exposai les trois gros problèmes : sa difficulté à comprendre le monde qui l'entourait et la manière dont il s'y intégrait ; le manque de confiance en soi dont il avait fait preuve au cours des dernières semaines ; et, enfin et surtout, son total désintérêt pour l'hygiène corporelle, en particulier lorsque ça touchait les fonctions naturelles.

On aborda les derniers développements en détail. Elle voulait savoir comment il s'entendait en général avec moi, Chris et Pippa, ainsi qu'avec les autres personnes. Il était déjà largement noté qu'il avait des difficultés à se mêler aux autres enfants et qu'il s'isolait souvent pendant les récréations et à l'heure du déjeuner. Je parlai de ses récents comportements, que je pensais avoir été déclenchés par le départ d'une assistante maternelle qu'il aimait beaucoup. Ce détail provoqua une prise de notes acharnée, comme si cela avait une grande importance. À un moment, je mentionnai Billy et parlai de l'influence positive qu'il avait sur Fraser, mais cela ne sembla pas l'intéresser beaucoup.

Elle se préoccupait surtout de l'entrée éventuelle de Fraser à la grande école, qu'elle estimait indispensable à son développement. D'un commun accord, on décida qu'à présent la propreté devenait la première des priorités. Elle me déroula la liste de conseils que je devrais suivre.

Elle pensait que je devais enlever les couches pendant la journée malgré le risque d'accident. Ensuite, je les supprimerais lentement la nuit également. Elle me suggéra de poser une serviette sur son siège-auto lorsque je l'emmenais à la maternelle au cas où. Elle me dit que je devais m'attendre à de nombreux accidents pendant les deux ou trois premières semaines.

En gardant cette possibilité à l'esprit, elle me suggéra d'avoir une bonne réserve de pantalons de rechange à la maison et dans la voiture. Je commençai à m'affoler en pensant à la quantité de lessive et de repassage qui m'attendrait !

Il y avait des choses avec lesquelles j'étais d'accord. Raisonnable, elle m'avait suggéré de ne pas faire grand cas des accidents et de ne pas le gronder. Elle proposa également que j'affiche un tableau sur le mur, où j'afficherais des icônes souriantes pour chaque heure restée au sec et que je lui donne des récompenses.

Certains conseils étaient judicieux, comme le laisser regarder son émission favorite à la télévision, d'autres me faisaient frémir, comme l'emmener à Aberdeen pour regarder les machines à la laverie ! Le revers de la médaille, c'était que je devrais songer à le priver de télévision s'il refusait de coopérer.

Elle me demanda de veiller à ce problème pendant toutes les vacances d'été et de ne pas laisser Fraser saborder le système.

Je devais aussi m'arranger pour qu'il se sente bien aux toilettes en lui accordant l'intimité nécessaire et en lui offrant un jouet ou un livre pour se détendre.

Et la liste s'allongeait à l'infini. Lorsque je sortis de son bureau, j'en avais le vertige.

12

Noir sur blanc

À l'approche de l'été, on décida de descendre quelques jours dans l'Essex avec les enfants pour aller voir mes parents. C'était ce qu'on avait trouvé de mieux pour nous détendre.

Tristement, avec un enfant comme Fraser, nous n'avions pas pris de vacances depuis sa naissance.

La vie devenait franchement impossible lorsque Fraser se retrouvait dans un environnement inhabituel. Passer une simple nuit à l'hôtel pour couper le voyage pouvait se transformer en cauchemar. Colère pour sortir de voiture, colère pour aller manger quelque part, etc. Comme nous ne pouvions pas emmener Billy, on avait beaucoup de mal à maîtriser la situation.

Chris et moi avions donc plus ou moins capitulé. Nous avions parfois passé quelques jours dans la caravane de la mère de Chris sur la côte, à Lossiemouth. Ce n'était pas loin de la maison, et cela nous permettait de changer d'air pendant quelques jours.

C'était un contraste phénoménal avec la vie que nous menions avant, car nous partions souvent à l'étranger. Le dernier voyage datait de 2006, mais c'est le sort de bien des parents. Nous n'étions pas les seuls à faire des sacrifices.

Ce que j'appréciais chez mes parents, c'est qu'ils savaient s'y prendre avec Fraser. Cela signifiait que j'avais parfois un peu de temps « à moi », chose totalement impossible en Écosse.

Un jour, je décidai de prendre rendez-vous chez le coiffeur. Mon père m'avait demandé d'en profiter pour lui acheter le *Daily Mail* chez le marchand de journaux. Je commençai donc par là pour avoir de la lecture au cas où j'aurais beaucoup à attendre.

Sans savoir pourquoi, pendant que je faisais la queue pour payer, j'ouvris le journal. J'eus le plus grand choc de ma vie. Là, en page 3, le visage de Fraser me regardait !

— Mon Dieu ! m'exclamai-je, un peu trop fort, m'attirant les regards mauvais des autres clients.

Je me repris et balayai la page des yeux. Le titre disait *Comment Billy, le chat de gouttière, fait sortir un enfant autiste de sa coquille*, et le sous-titre, *Billy a transformé l'atmosphère du foyer et lui a apporté bonheur et sérénité.*

On voyait une série des photos de Bruce Adam représentant Fraser et Billy qui se frottaient l'un contre l'autre.

L'article de Liz était charmant. Elle me citait beaucoup, ce qui me fit un peu grimacer, surtout lorsque je lus : *Cela paraît dingue, mais j'ai l'impression que Billy est l'ange gardien de Fraser.*

C'était pourtant le reflet exact de ce que je me disais intérieurement depuis longtemps. *Billy a transformé notre vie quotidienne ; il nous a enlevé beaucoup de stress, il nous a apporté beaucoup de joie, et une présence apaisante. Il est extraordinaire*, retranscrivait-elle en me citant. J'avais l'impression d'entendre une voix intérieure.

J'étais abasourdie. Je ne savais pas si je devais rire ou pleurer, et je fis un peu des deux.

Presque en courant, je retournai chez mes parents. Ils déplièrent le journal sur la table de la cuisine et, bouche bée, lurent l'article. Je le montrai aussi à Fraser. Il ne comprit pas très bien de quoi il s'agissait, mais fut ravi de voir les photos de Billy.

— Papy, Billy est dans le journal ! dit-il pendant tout le reste de la journée.

Ce fut un moment assez surprenant pour nombre de raisons. Tous les parents estiment que leur enfant n'est pas comme les autres, mais peu voient leurs intuitions confirmées dans le journal. Plus que tout, cela me libéra d'un sentiment qui me pesait depuis des mois. Je n'avais plus à me sentir coupable de penser que la relation entre Fraser et Billy tenait presque de la magie. À présent, c'était de notoriété publique, écrit noir sur blanc.

L'article mit tout le monde en joie. Ce soir-là, installés dans la cuisine, Chris, mes parents et moi, on échangea nos souvenirs au milieu des rires.

Bien entendu, nous avons beaucoup parlé des enfants et, en particulier, de Fraser et de Billy, dont les portraits étaient désormais fixés au tableau de liège, sur le mur.

Mon père avait acheté d'autres exemplaires du journal qu'il lisait à nouveau. Pendant un moment, il resta perdu dans ses pensées.

— C'est vrai, il n'arrête pas d'en parler. Billy par-ci, Billy par-là. Comme toi quand tu étais petite avec le petit chaton de Pam, la voisine.

— Quel chaton ?

— Le siamois avec lequel tu passais des heures. Comment s'appelait-il, déjà ?

— Frosty, avança ma mère timidement.

— Oui, c'est ça, Frosty. C'était pareil, tu ne parlais plus que de lui.

— Mon Dieu, je l'avais complètement oublié ! dis-je, alors que les souvenirs m'inondaient soudain.

Lorsque j'avais onze ans, environ, je m'étais entichée d'un petit siamois, que Pam, la voisine, qui faisait un élevage à côté de chez nous, m'avait montré.

C'était une éleveuse professionnelle, membre du club des siamois. Elle possédait quelques « reines » qui lui donnaient des portées presque tous les ans. Je passais toujours chez elle pour voir les petits, une demi-douzaine de charmantes boules de poils. Au fil des ans, j'ai bien vu une cinquantaine de petits siamois chez elle. Mais celui-là avait quelque chose de particulier. Je m'en amourachai au premier regard. Minuscule, adorable, il avait un pelage lilas, et, je ne sais pourquoi, je l'avais baptisé Frosty.

Je passais des heures chez Pam, à jouer avec lui. Tous les soirs, après l'école, je trouvais un prétexte pour m'échapper. Je lui fabriquais des petits jouets avec une pelote de laine que je roulais autour de morceaux de carton pour fabriquer une balle et les lui lançais dans toute la pièce. Aussitôt, il se mettait à courir dans tous les sens, comme un fou. J'étais une collégienne heureuse, sans problème particulier, mais, chaque fois que je me sentais chagrinée, passer quelques minutes avec Frosty séchait mes larmes. Je n'avais pas pensé à lui depuis longtemps, mais, à présent, je me rappelais que nous semblions avoir un monde à nous, une petite bulle dans laquelle ni mes parents, ni ma sœur, ni les professeurs ne pouvaient m'atteindre. C'était magique.

Pam savait à quel point ce chat comptait pour moi et proposa de me l'offrir, mais je savais que je devrais affronter ma mère qui détestait les chats. Mes craintes étaient justifiées. Elle refusa de le prendre, me laissant à mon désespoir.

Pam s'était montrée très compréhensive et s'assura que Frosty ne soit pas placé dans une autre maison, ce qui était très généreux de sa part, car ces chatons valaient une petite fortune. Mais, chaque fois que j'allais le voir, je me rendais compte que le temps passait et qu'elle finirait par être obligée de s'en séparer.

Pendant quelques mois, je fis tout mon possible pour que maman change d'avis, mais en vain.

Un jour, l'inévitable se produisit : Pam me dit qu'elle avait été approchée par une autre famille qui voulait adopter Frosty. C'était le dernier de la portée et il arrivait à un âge où il fallait qu'il s'en aille si elle ne voulait pas créer des conflits avec la mère. Elle devait accepter.

J'avais le cœur brisé. Je pleurai toutes les larmes de mon corps pendant une semaine. J'adorais vraiment ce chat.

— Tu m'en as voulu pendant des siècles quand j'ai refusé qu'on l'adopte, me dit maman qui me voyait perdue dans mes pensées.

— Oui, je sais. J'avais le cœur brisé. Je croyais ne pas pouvoir m'en remettre.

C'était étrange. Je m'étais souvenue de Pam lorsque j'avais vu Billy arriver dans sa petite cage blanche, mais, jusqu'à cet instant, j'avais totalement oublié Frosty. Peut-être avais-je refoulé ce souvenir ? Quelle que soit l'explication, vingt-cinq ans plus tard, je me sentais de nouveau bouleversée. Je n'avais pas encore établi le parallèle entre ma relation avec Frosty et les sentiments qui liaient Fraser et Billy.

— En fait, je l'avais totalement oublié.

— C'était peut-être un souvenir inconscient. C'est

pour cela que tu savais qu'il fallait un chat à Billy, me dit maman.

— De toute façon, c'était une bonne idée, dit mon père.

Mes parents ne se servaient pas d'Internet, et, à l'époque, je n'avais pas encore de smartphones pour lire mes e-mails. Ce ne fut qu'en rentrant à la maison et en ouvrant mon ordinateur que je vis toute une pile d'e-mails à propos de l'article du *Daily Mail*.

Quelques-uns venaient de Liz, la journaliste, qui me prévenait de la sortie de l'article, d'autres de l'autre Liz et de la présidente de Cats Protection à Londres, qui me félicitaient et remerciaient Fraser et Billy de faire une si bonne publicité pour leur association.

Je reçus également quelques lettres, dont l'une était simplement adressée à *Louise Booth, Balmoral, Écosse.*

Les réactions étaient assez extraordinaires. Bientôt, L'article fut publié en ligne et attira des centaines de commentaires, presque tous positifs. Ils me prouvèrent que je n'étais pas la seule à croire au pouvoir magique de la relation entre un enfant et son animal de compagnie. *Quel magnifique chat et quel charmant garçon ! Vous avez de la chance d'avoir accueilli cet animal si fantastique,* écrivit un Australien. *Les miracles se produisent au moment où on en a le plus besoin,* disait une Américaine.

Bien entendu, il y a toujours des gens pour voir des connotations religieuses dans ce genre d'histoire, et la nôtre ne faisait pas exception. *À certains moments, Dieu nous envoie un ami exceptionnel pour nous aider,* écrivit une autre personne.

Cependant, les commentaires ne se limitaient pas aux chats et aux animaux. J'étais heureuse de voir que, comme l'avait désiré Cats Protection, l'article avait suscité de l'intérêt pour l'autisme.

Le commentaire qui m'a le plus touchée venait d'un homme qui avait souffert de cela pendant toute sa vie. *Je suis né à la fin des années 1940, alors que peu de médecins connaissaient les symptômes de l'autisme, et que mon statut d'enfant « maladroit » me valut des pilules qui m'assommaient et des séjours en hôpital psychiatrique. Le diagnostic ne fut posé qu'au moment de mes soixante ans, et le soutien et la compréhension auxquels j'ai droit aujourd'hui m'ont finalement apporté un peu de paix, de bonheur et beaucoup d'amour à donner et à recevoir. Rendons la vie de ces enfants beaucoup plus heureuse grâce à l'amour inconditionnel des animaux domestiques.* En lisant ce commentaire, j'en eus les larmes aux yeux, parce que je savais que, même à notre époque, il était facile qu'un enfant « maladroit » se retrouve isolé dans son coin. J'avais subi ce phénomène avec Fraser.

Dans les jours qui suivirent, on commença à recevoir des lettres d'admirateurs et des cadeaux du monde entier. Une dame charmante envoya une lettre et une photo de son chat à Fraser, avec un billet de vingt livres.

Une autre offrit une petite serviette de table avec une image de chat.

Nous avons également reçu des propositions pour donner des interviews dans la presse, au Royaume-Uni comme à l'étranger. Pourtant, après qu'on en eut discuté, Chris et moi, on refusa, car on ne voulait pas mettre trop de pression sur Fraser.

Nous n'avions pas la moindre envie d'être riches et célèbres. Nous ne voulions surtout pas que Fraser et Billy deviennent des sortes de vedettes de fiction.

Dans la région, l'article ne provoqua que peu de réactions, comme je l'avais prévu. Ce n'était pas le genre de communauté à faire beaucoup de cinéma sur les gens, même si quelques personnes me dirent en avoir apprécié la lecture.

Le compliment le plus agréable, je le reçus le jour où Fraser alla de nouveau à la maternelle après notre retour.

— Oh ! bonjour, Louise, me dit Cath lorsque je le déposai. Quel bel article sur Fraser ! Tout le monde l'a lu. Entrez, venez voir ce qu'ont fait les filles.

Les institutrices avaient fait une sorte de collage avec l'article du journal et les photos de Fraser. Il y avait également des commentaires de félicitations.

— Billy est dans le journal, dit Fraser en les voyant.

— Et toi aussi, dit une des filles. Tu es un garçon très intelligent.

Cela me rappela pourquoi j'étais si heureuse de l'avoir mis dans cette école. Je venais tout juste de rentrer de l'Essex et je me sentais déjà pleine d'énergie, prête pour une nouvelle phase du voyage de Fraser. La chaleur et le soutien que l'école nous avait toujours manifestés me donnaient l'impression que mes batteries avaient été rechargées. Hélas, il ne faudrait pas longtemps pour qu'elles se trouvent de nouveau à plat.

13

Sonnette
d'alarme

En feuilletant le courrier du matin, je repérai une enveloppe venant de la maternelle. Comme nous approchions des vacances, je supposai qu'il s'agissait d'un rapport sur l'évolution de Fraser ou d'une note sur les activités d'été. Je compris vite qu'il n'en était rien. Je dus relire la lettre à deux fois, tant je n'en croyais pas mes yeux. La maternelle fermait avec effet immédiat. Je devrais trouver d'autres « arrangements » pour l'éducation de Fraser. L'estomac noué, j'en étais malade et je dus m'asseoir un instant pour absorber l'information.

Bref, le texte allait droit au but. Le 27 juin serait le dernier jour d'école, annonçait-il en souhaitant le meilleur possible à tous pour l'avenir. Aucune autre maternelle de secours n'était mentionnée.

Je finis par me ressaisir et j'appelai Chris. Il refaisait l'électricité d'une pièce dans l'aile principale du château et ne pouvait pas parler longtemps, mais il fut aussi choqué que moi. En m'assurant que Fraser ne pourrait pas m'entendre, j'appelai quelques parents pour savoir s'ils savaient ce qui s'était passé.

— Je crois que l'école n'était pas assez rentable, me dit une maman, aussi décomposée que moi. Mais, franchement, c'était si bien que j'aurais volontiers payé plus cher pour qu'elle reste ouverte.

Je partageais ses sentiments. Je n'aurais pas trouvé l'argent facilement, mais je me serais débrouillée.

Pendant toute la matinée, je regardai la lettre, comme si elle allait se réécrire sous mes yeux et faire en sorte que cela n'aurait été qu'un mauvais rêve. Rien ne se passa. Au fur et à mesure que la réalité s'imposait, je me sentais terriblement désolée pour tout le personnel, même si j'avais l'impression qu'on me laissait tomber.

J'aurais préféré qu'ils me parlent de leurs problèmes. Après tout, moins d'une semaine plus tôt, on avait discuté de Fraser et de l'article du *Mail*. Pour l'essentiel, néanmoins, je compatissais. C'étaient des gens si chaleureux, si dévoués. Où allaient-ils trouver un autre travail dans une petite communauté rurale comme la nôtre ?

Bien entendu, je m'inquiétais plus encore pour Fraser. Cela avait été un tel combat de lui trouver la maternelle adéquate, et Cath et son équipe faisaient du si bon travail, que j'avais l'impression de me trouver au bord d'un gouffre. Il me semblait que j'avais fait un pas en avant et vingt en arrière, plus peut-être. C'était retour à la case départ. J'avais envie de pleurer. D'ailleurs, je pleurais. Je ne savais pas comment annoncer la nouvelle à Fraser. Ses inquiétudes étaient plus intenses que tout, en ce moment. Il restait assis à se balancer tout en se répétant sans cesse « Ça va aller, ça va aller… » comme pour se rassurer.

L'idée de ne pas retourner à la maternelle ou, pire, d'aller dans une nouvelle école provoquerait une explosion atomique dans son esprit. Cela l'entraînerait dans une spirale infernale.

En fait, je me demandais si Fraser ne s'en doutait pas déjà. Il me sembla soudain qu'il avait dû comprendre ce qui était en jeu des semaines plus tôt. Était-ce ce qui avait déclenché les longues nuits d'enfer qu'il nous avait infligées au début de l'été ? Il ne s'agissait peut-être pas seulement du départ de l'institutrice. Avait-il entendu parler des difficultés de la maternelle ? Je ne le saurais sans doute jamais. Je savais néanmoins que j'étais face à un problème, et un problème de taille.

Les écoles publiques seraient en vacances dans quelques jours et n'ouvriraient pas avant la mi-août, dans six semaines. C'était en fait le temps qu'il me restait pour trouver une solution de rechange.

Je pouvais, si nécessaire, garder Fraser avec moi pendant toute l'année. L'école primaire était obligatoire, à partir de cinq ans, mais pas la maternelle. Néanmoins, ce n'était pas une solution. Fraser n'évoluerait et ne se développerait que grâce à l'interaction avec le monde extérieur et non en s'enfermant dans sa bulle à la maison. Tous les thérapeutes et tous les spécialistes que nous avions rencontrés le confirmaient. Nous avions l'intention de passer à l'étape supérieure et de l'y mettre cinq jours par semaine, et je devais m'arranger pour qu'il continue à suivre une scolarité normale. Mais où ?

Le choix le plus naturel aurait été l'école de Ballater, mais, en vérité, nous pensions qu'elle ne conviendrait pas à Fraser. Ce n'était pas par snobisme de notre part, bien au contraire. C'était une bonne école qui offrait un service de qualité à la communauté locale. Mais nous estimions qu'elle n'était pas adaptée à Fraser, à court terme comme à long terme. La maternelle était englobée dans l'école primaire, et cela aurait constitué un défi insurmontable pour un enfant qui ne supportait pas les groupes trop nombreux. Il risquerait de régresser.

Malheureusement, nous avions peu d'options, et je devais les explorer l'une après l'autre, si bien que cette école resta néanmoins ma première porte d'entrée. La directrice me rappela rapidement, me dit qu'il y avait de la place, mais qu'étant donné les besoins particuliers de Fraser, elle devait en parler à l'institutrice.

— Je suis certaine que vous comprenez, me dit-elle.

Parfaitement.

Dans un monde idéal, je n'aurais pas voulu y placer Fraser. De toute façon, ce délai me donnait donc l'occasion d'élaborer un plan B.

Je pris rendez-vous avec la directrice de l'école communale de Crathie. Elle avait été construite en 1873 pour accueillir les enfants des familles des domaines de Balmoral et d'Invercauld, des villages de Crathie et d'Abergeldie. C'était une minuscule école traditionnelle charmante, avec trois salles de classe et un petit réfectoire pour le déjeuner. Elle disposait d'une grande cour, d'une pelouse, d'un petit bois et d'un grand terrain de jeux.

Elle avait même son petit lapin. Mais, le plus magnifique, c'était la taille des classes : il n'y avait pas plus de quinze élèves dans toute l'école. Parfois, une douzaine d'enfants bénéficiaient de l'enseignement de deux institutrices, de la directrice et d'une assistante.

Au fil des ans, j'avais eu l'occasion d'y aller avec des groupes de jeunes enfants pour des remises de prix, des petits-déjeuners et des petites pièces de Noël. J'aimais l'atmosphère amicale ; par bien des côtés, cela me faisait penser à la maternelle de Ballater. C'était un environnement attentionné et enrichissant, et de nombreux enfants du domaine y avaient obtenu d'excellents résultats.

Tout bien considéré, cela me semblait parfait pour Fraser.

En voiture, le trajet n'étant pas très long, quelques jours plus tard, je rencontrai la directrice. J'allai droit au but : je lui demandai si Fraser pourrait commencer à aller à la grande école à temps plein, au lieu de passer par la section jardin d'enfants. Mon argument était simple : il ne lui manquait qu'un jour pour avoir l'âge légal.

S'il était né quelques heures plus tôt, le 29 février et non le 1er mars, je serais déjà en train de lui faire fabriquer son uniforme. Alors, à quelques heures près, il n'y avait pas grande différence.

La directrice se montra compréhensive, mais dit qu'elle ne pouvait pas déroger à la règle. Elle n'aurait pu faire exception que s'il venait d'une famille militaire mutée en Écosse et avait été scolarisé en Angleterre ou au pays de Galles dès l'âge de quatre ans. C'était frustrant. Pourquoi avait-il fallu que je passe autant de temps en salle de travail ? me demandai-je.

La bonne nouvelle, néanmoins, c'est qu'elle dit qu'elle serait heureuse de l'accepter dans la section des petits.

— Je suis sûr que nous pourrons l'intégrer chez les grands à la rentrée prochaine, promit-elle.

Cette période était frustrante pour Chris et moi. Nous voulions organiser le passage à l'école à plein temps, de manière à causer le moins d'angoisse possible à Fraser. À présent, nous devrions faire face à un cataclysme majeur. Nous redoutions les semaines et les mois à venir.

On finit par trouver un compromis. Si la classe maternelle de Ballater acceptait, il pourrait y aller trois jours par semaine et se rendre les deux autres jours au jardin d'enfants de Crathie. Et si Crathie fonctionnait bien, il pourrait passer à la grande école au mois d'août prochain.

Cela semblait réglé comme sur du papier à musique. Malheureusement, en ce qui concernait Fraser, cette expression ne voulait pas dire grand-chose.

Il pourrait éprouver des problèmes avec les autres enfants, les enseignants ou même détester l'école tout entière. Ce ne serait pas facile. Pourtant, c'était toujours la même histoire : les objectifs se déplaçaient, et nous devions nous en accommoder.

Étrangement, le 27 juin, dernier jour de classe, coïncidait avec l'anniversaire de l'arrivée de Billy. Comme prévu, ce fut un jour terrible pour moi. Au cours des vingt mois que Fraser y avait passés, les membres du personnel avaient été les premiers à voir que derrière ce petit garçon colérique se cachait un être plein de douceur à la personnalité attachante. Ils lui avaient permis de se développer dans bien des domaines de manière subtile. Pendant les premiers jours, Fraser n'avait aucune imagination dans ses jeux. Il restait assis et s'amusait avec tous les objets rotatifs sur lesquels il pouvait mettre la main. Maintenant, il se montrait créatif et jouait comme un enfant normal. Par exemple, il jouait à la dînette à la maison. Bien sûr, pour tout autre enfant, cela aurait été très banal, mais, pour Fraser, c'était un grand pas dans la bonne direction.

Cette école avait tenu un rôle important dans ma vie, car elle m'avait permis d'avoir un peu de temps libre. Les six ou sept heures qu'elle m'offrait par semaine me permettaient de me consacrer à Pippa, qui n'était encore qu'un nourrisson lors de la première rentrée de son grand frère et nécessitait beaucoup d'attention.

Quelques jours plus tard, je reçus une lettre de l'école publique de Ballater m'annonçant que Fraser était accepté, ce qui m'apporta un grand soulagement. Étant donné sa personnalité, il était impensable que Fraser puisse débarquer « à froid » dans un nouvel établissement le jour de la rentrée. Il aurait besoin d'un peu de temps pour s'habituer à l'environnement et, si possible, aux enseignants.

Je tenais donc à l'y emmener auparavant pour qu'il se familiarise avec les lieux, mais, lorsque je sonnai à la porte, je n'obtins aucune réponse.

Le lendemain, comme je devais faire quelques courses à Ballater, je décidai de passer devant l'établissement. Je savais que l'école était ouverte occasionnellement pour certaines activités d'été. Fraser était avec moi ; nous aurions peut-être de la chance. Il n'en fut rien.

On dut se contenter de regarder l'école de l'extérieur, ce qui fut contre-productif, car Fraser commença à poser des questions.

— Je serai assis à côté de qui ? Qui sera ma maîtresse ?

Je regrettai de l'avoir emmené. Je n'avais fait qu'accroître ses angoisses. C'était vraiment la dernière chose dont nous avions besoin.

Le bouleversement qui s'annonçait avait déjà augmenté les enjeux, et je devrais régler quelques problèmes en amont. Un matin, après que Fraser eut pris son petit-déjeuner habituel, quand toute la maison fut calme, je commençai à rassembler ce qui, de l'extérieur, aurait ressemblé à un amalgame d'objets hétéroclites. Bientôt, sur la paillasse de la cuisine, il y avait un sablier, un livre d'images et un petit pot en plastique.

Après avoir avalé ma tasse de thé, je pris une profonde inspiration, emportai les trois objets aux toilettes du bas et allai chercher Fraser au salon. Pour la énième fois, je m'attaquerais au plus gros problème de l'éducation de Fraser : la propreté.

Cela aurait dû être fait depuis longtemps. Il avait plus de quatre ans et portait toujours des couches, ce qui était gênant. Lorsqu'il était entré dans sa vieille maternelle, cela n'avait rien d'inhabituel.

Comme lui, de nombreux enfants n'avaient guère plus de deux ans et n'étaient pas propres. Depuis, tous les autres avaient appris à aller aux toilettes tout seuls. Fraser, lui, refusait d'y songer. Lorsque Chris ou moi lui demandions d'aller aux toilettes sans sa couche, il hurlait à en briser les vitres. Il était si fortement ancré dans son esprit autistique que les couches étaient la manière de procéder qu'il ne pouvait envisager aucune autre méthode.

Malheureusement, cela commençait à nous poser un problème. À l'ancienne maternelle, Cath nous avait toujours soutenus. Grâce à son expérience des enfants autistes, elle savait qu'il deviendrait propre à un moment donné, mais que lui seul en déciderait. Cela pourrait se passer dans une semaine, dans un an ou même dans deux. Hélas, nous ne pouvions pas attendre si longtemps.

Je ne pouvais pas le laisser entrer dans cette nouvelle maternelle sans qu'il soit propre. Cela aurait été embarrassant, non seulement pour moi, mais aussi pour Fraser, car cela l'aurait mis dans une situation à part. Il se verrait encore comme un enfant « particulier » dans le mauvais sens du terme.

Comme si la pression n'était pas assez grande, la psychiatre m'avait envoyé une longue lettre, avec l'interminable liste de conseils qu'elle m'avait donnés sur l'apprentissage de la propreté.

Cette fois, elle avait même souligné des éléments et utilisé des puces. Cela paraissait intimidant et, à vrai dire, un peu paternaliste. J'avais déjà beaucoup appris à Fraser. J'étais certaine de pouvoir franchir cette étape sans être traitée comme une idiote qui ne savait pas élever son enfant.

Il y avait quelques conseils que j'étais prête à suivre, mais d'autres pour lesquels c'était hors de question. Je m'y prendrais à ma manière.

Ma sœur m'avait conseillé d'utiliser un livre sur l'apprentissage de la propreté.

— Ça m'a beaucoup aidée avec mes deux garçons, Louise, me dit-elle.

J'étais étonnée par l'éventail de livres disponibles et par leur créativité. Il y avait des livres sur les pirates et les pompiers qui allaient aux toilettes, des livres dédiés aux enfants qui avaient peur de se retrouver enfermés. Je choisis des titres amusants avec des illustrations colorées et me mis à les lui lire le soir, à l'heure du coucher. De manière intéressante, l'un d'eux évoquait un sablier qu'on utilisait pour que l'enfant reste assis sur le pot le plus longtemps possible. Il me semblait que c'était exactement le genre d'astuce qui pourrait fonctionner avec Fraser.

La veille, pour ne pas le prendre par surprise, je lui avais annoncé que nous commencerions le lendemain matin.

Je savais que, l'essentiel, c'était de trouver une stimulation mentale ; voilà pourquoi j'avais emporté un livre.

— Si tu restes assis pendant cinq minutes, je te donnerai un biscuit pour te récompenser, dis-je.

Il m'adressa un regard inquisiteur, comme s'il voulait savoir si je ne lui jouais pas un mauvais tour. Il réfléchit un instant et hocha la tête.

J'étais contente que personne ne puisse me voir là, assise à côté de Fraser. J'avais l'air d'une folle avec mon sablier, à côté d'un enfant de quatre ans, assis sur son petit pot, sa couche-culotte autour des genoux.

Déjà, je sentais que Fraser s'agitait.

— Fraser veut pas rester là. Fraser veut pas.

— S'il te plaît, juste pour moi, jusqu'à ce que le sable ait fini de couler.

J'avais l'impression que chaque grain descendait au ralenti. Soudain, la porte s'entrouvrit, et une silhouette familière apparut.

Billy.

Pourquoi avait-il décidé de venir nous rejoindre, je n'en avais aucune idée. Nous avait-il entendus bavarder et avait-il été attiré par le bruit ? Avait-il perçu les lamentations de Fraser ? Comme d'habitude, j'étais dans le brouillard. J'étais simplement très contente de cette apparition et je fus ravie de le voir s'asseoir et frotter gentiment sa tête contre l'épaule de Fraser

— Tu vois, Billy veut que tu utilises le petit pot, dis-je.

À mon grand plaisir, Fraser resta en place pendant quelques minutes, et, bientôt, les cinq minutes furent écoulées.

J'attendis d'avoir renouvelé l'opération plusieurs fois avant d'annoncer la nouvelle. Je ne voulais pas risquer que ça me porte malheur. Je tenais à ce que cela dure.

La deuxième fois, je laissai délibérément la porte ouverte pour que Billy puisse nous entendre. Sans avoir besoin d'invitation, de nouveau, il vint s'asseoir à côté de Fraser. Et, de nouveau, le sable mit une éternité à s'écouler. Mais, cette fois, je l'avais confié à Fraser pour qu'il le tienne tout seul. Il était fasciné par le mouvement.

Lorsque le sablier eut fini de s'écouler, Fraser était toujours assis sur son petit pot et caressait Billy. Mieux encore, il avait fait pipi.

— C'est bien, Fraser, dis-je, tout excitée. Tu as mérité ton biscuit.

Je savais que Fraser ne tarderait pas à en parler à Chris, si bien que je ne pus résister à annoncer la nouvelle le soir devant la télévision, une fois les enfants couchés.

— Tu ne vas pas me croire, mais Fraser est resté sur son petit pot pendant cinq minutes aujourd'hui.

— Ah bon ? dit Chris, réellement surpris.

— Et ce n'est pas la première fois. Il avait fait la même chose hier.

Mieux que personne, Chris savait combien il était difficile d'obtenir ce résultat. Mais il savait aussi que nous étions loin d'être au sec, pour ainsi dire.

— Ce qui a beaucoup aidé, c'est que Billy soit venu à côté de lui.

Je voyais bien qu'il était sceptique, comme d'habitude.

— Tu t'en occuperas la prochaine fois et on verra bien comment tu t'en tires !

— D'accord, pourquoi pas à l'heure du coucher ?

Pendant que je m'occupais de Pippa, Chris monta avec Fraser. Presque aussitôt, j'entendis le son de la chatière qui s'ouvrait.

En passant la tête dans le couloir, j'aperçus un éclair gris et blanc qui filait dans l'escalier. Je passai encore quelques minutes en bas pour préparer Pippa. Lorsque je montai à l'étage, Chris était dans la chambre de Fraser et le bordait déjà. Billy était avec eux.

— Comment ça s'est passé ?

— Bien.

— Billy était là ?

— Oui. Bizarre : il a poussé la porte et est venu s'installer à côté de nous.

— Tu ne trouves pas cela étrange ? dis-je, évitant soigneusement de croiser son regard.

— Oui, j'imagine, répondit-il en faisant de même.

Chris n'allait pas l'admettre, mais je savais à quoi il pensait. Ce fut un long parcours au cours des semaines suivantes. Parfois, Fraser restait assis, le sablier à la main, pendant dix ou quinze minutes.

D'autres jours, il refusait totalement de s'y asseoir. Comme la psychiatre l'avait prévu, il y eut de nombreux accidents. Fraser s'énerva à plusieurs reprises, mais je suivis son conseil et n'en fis pas grand cas.

Lentement mais sûrement, Fraser prenait confiance en lui et commençait à se rendre aux toilettes sans être accompagné. Le seul problème, c'est qu'il réussit à s'enfermer deux fois.

La première, je me trouvais à la cuisine et j'entendis un cri plaintif venant des toilettes.

— Maman, maman…

Je ne sais comment il avait tourné le loquet, mais il était incapable de l'ouvrir. Malgré mes encouragements et ses efforts, il commença à s'inquiéter.

— Fraser n'aime pas la salle de bain, ne cessait-il de dire. Fraser veut sortir !

Finalement, je dus prendre des mesures draconiennes et utiliser un tournevis pour démonter le verrou. Fraser était accroupi dans le bac douche.

Malgré quelques revers de ce genre, il continuait à aller dans la bonne direction.

Un week-end, on réussit même à aller chez la maman de Chris sans le moindre accident. J'avais emporté des couches, mais Fraser n'en avait pas eu besoin. Tandis que les vacances d'été approchaient de leur fin et que la nouvelle rentrée commençait à poindre, je pensais que nous avions relevé un nouveau défi. Je pouvais reprendre mon souffle et me préparer au choc suivant : sa nouvelle maternelle.

Avec une seule journée avant la rentrée, on finit par avoir l'occasion de visiter la nouvelle maternelle de Ballater.

On avait longuement parlé avec la direction pour expliquer pourquoi, avec sa pathologie, il était important que Fraser puisse visiter les lieux à l'avance. On nous avait invités à passer lorsque les enseignants seraient rentrés de vacances. Malheureusement, cela ne put se produire que vingt-quatre heures avant que la cloche sonne pour la première fois cet automne. Ce n'était pas l'idéal.

Un peu appréhensif dans la voiture, Fraser resta silencieux. Nous avions Pippa avec nous. Tous les quatre, après s'être garés dans le parking, on se dirigea dans le bâtiment moderne qui s'élevait à l'ombre du Craigendarroch, la montagne qui surplombe Ballater.

Construite dans les années 1950, l'école semblait toujours très moderne, avec un grand hall et un long corridor qui donnait sur les salles de classe d'un côté. Fraser, qui n'avait jamais apprécié les couloirs, commença à adopter des mécanismes de défense, à juste titre, comme nous allions le découvrir. Tout d'un coup, une sonnerie stridente retentit. C'était le téléphone d'un des bureaux, relié à un système de sonorisation général pour qu'on l'entende de l'extérieur. C'était assourdissant, et cela nous fit tous sursauter, mais Fraser, lui, fut terrifié.

Je dus le prendre dans mes bras pour le rassurer. Après cet incident, la suite de la visite serait inutile. Je le connaissais assez pour savoir que les dés étaient jetés. L'institutrice nous présenta sa section. Comme la maternelle faisait partie d'un ensemble qui accueillait les enfants jusqu'à l'âge de onze ans, l'atmosphère était fort différente de celle de la petite école privée. Je m'en rendais compte et, pour un enfant aussi sensible que Fraser, cela devait être encore plus flagrant. Il semblait nerveux et craintif, et s'accrochait à ma main pour se rassurer. Je ne lui posai pas beaucoup de questions sur le trajet du retour. Je ne voulais pas transformer cette visite en affaire d'État, mais je voyais bien qu'il s'inquiétait. Nous aurions un défi de taille à relever au cours des prochains jours.

Pour être juste, je dois reconnaître que l'école fit beaucoup d'efforts pour que Fraser se sente chez lui durant cette première semaine. Le premier jour, on lui présenta tout le monde ; pourtant, il passa la plupart du temps dans un coin, à l'écart des autres, comme au début, à l'ancienne maternelle. La journée se déroula sans incident majeur, mais il sembla ravi de me revoir le soir et surtout de retrouver Billy à la maison.

C'était encourageant, mais il ne fallut pas longtemps pour que les problèmes surgissent.

Le troisième jour, en allant le chercher, je le trouvai dans un état lamentable et très angoissé.

— Qu'est-ce qui ne va pas, Fraser ?

— Les toilettes sont méchantes, dit-il en s'accrochant à ma main.

Je n'avais pas précisé qu'il venait tout juste d'apprendre la propreté, parce que je ne voulais pas qu'on lui mette une étiquette encore plus discriminante que celle qu'il avait déjà. Mais, soudain, j'eus peur qu'il y ait eu un terrible accident.

En fait, il s'agissait de tout autre chose.

Les toilettes étaient équipées d'un ventilateur qui se mettait en route automatiquement dès qu'on allumait. On avait accompagné Fraser aux toilettes avec d'autres garçons, et l'institutrice avait allumé. Les bruits électriques ou mécaniques puissants l'avaient toujours perturbé, surtout lorsqu'ils étaient inattendus, si bien que Fraser avait fait une crise. La maîtresse de la maternelle semblait un peu débordée par cet événement, mais je lui dis de ne pas trop s'en faire.

— Ce n'est pas rare qu'il se mette dans cet état, lui expliquai-je.

Quelques jours plus tard, cependant, elle me reprit à part :

— Fraser s'est encore énervé aujourd'hui. Une collègue a essayé de le conduire dans le grand hall en le faisant passer par le corridor principal. Il ne voulait pas avancer et s'est vraiment mis dans tous ses états lorsqu'elle a insisté pour qu'il l'accompagne.

Il y avait quelque chose dans la manière dont elle avait prononcé le mot « vraiment » qui me fit comprendre qu'il avait hurlé à en briser les tympans.

Je lui expliquai ce qui était arrivé avec la cloche de l'école lors de notre première visite.

— Ah ! C'est pour cela qu'il n'arrête pas d'en parler !

On discuta brièvement de ce que l'on pourrait faire pour le rassurer, mais le problème, comme toujours avec Fraser, c'est que, désormais, on avait laissé sortir le génie de sa lampe. Les graines de l'anxiété étaient semées et elles n'allaient pas tarder à prendre racine.

Les jours suivants, il commença à ramener son anxiété à la maison. Fraser avait la capacité de répéter et répéter les choses indéfiniment, même lorsqu'il était content. Lorsqu'il était fâché, il n'y avait plus moyen de l'arrêter.

Durant ces premiers jours, il répétait les mêmes phrases, quarante, cinquante ou soixante fois d'affilée.

« Fraser veut pas aller dans le couloir. » « Fraser aime pas la cloche. » « Le ventilateur des toilettes fait du bruit. »

Deux semaines plus tard, son niveau d'anxiété était tel qu'il en devenait raide de peur. C'était un peu comme si on lui demandait de sauter d'un building de cinquante étages. Il ne pouvait plus dormir une heure sans se réveiller pour réciter ses litanies.

Chris se levait, passait une demi-heure à essayer de le rassurer ou à lui faire la lecture pour qu'il se rendorme. C'était épuisant pour nous deux et il y avait des jours, le matin surtout, où nous pensions que cela ne valait pas la peine.

Chris descendait à la cuisine très tôt pour préparer le déjeuner de Fraser, pendant que j'essayais de régler les problèmes qui surgiraient dès le réveil.

— Fraser aime pas la cloche, maman. Fraser aime pas la cloche.

Nous avions décidé de le garder à la maison de temps en temps, pour nous laisser un peu d'air. La maternelle n'était pas obligatoire, cela ne posait pas de problème. Pourtant, nous ne pouvions pas le faire trop souvent. Il était indispensable que Fraser aille à l'école.

Ses thérapeutes le savaient, nous le savions S'il arrêtait, il se recroquevillerait dans sa coquille et, étant donné sa nature autistique, il se renfermerait tant qu'il régresserait et que tous les progrès accomplis seraient balayés. Le merveilleux travail des deux dernières années partirait en fumée. Nous devions absolument surmonter cette épreuve.

Il faut le reconnaître, l'école a travaillé en étroite collaboration avec nous et a pris des mesures pour contourner les deux gros problèmes.

Tout d'abord, on commença par laisser la lumière, et donc la ventilation, éteinte lorsque Fraser allait aux toilettes. Puis on s'arrangea pour qu'il puisse faire le tour du bâtiment pour aller d'une extrémité à l'autre. On le faisait passer par une sortie de secours, traverser la pelouse et rentrer par le hall, ce qui évitait le corridor.

On m'appela également pour discuter de stratégie de contournement. À un moment donné, on se demanda même s'il ne pourrait pas amener Billy en classe. Fraser avait commencé à en parler, et la maîtresse se demandait si avoir son meilleur ami à ses côtés pourrait l'aider à surmonter sa peur du corridor et de la cloche.

Il ne nous fallut pas longtemps pour conclure que c'était impossible. Il y avait les problèmes d'hygiène et de sécurité, et cela aurait encore plus attiré l'attention sur Fraser. Et puis, c'était injuste pour Billy.

Il ne s'éloignait guère de la maison, et on ne pouvait pas lui imposer de rester enfermé dans une salle de classe pendant des heures.

En fait, la question ne devait même pas se poser : Billy avait déjà bien assez de travail à la maison.

Quelques années plus tôt, nous nous serions retrouvés dans une spirale descendante qu'il aurait été difficile d'arrêter. La différence, maintenant, c'était la présence de notre merveilleux chat.

Durant ces semaines difficiles, Billy resta présent en permanence à nos côtés. Dès que Fraser s'agitait à propos du couloir ou de la cloche, il apparaissait. Parfois, il avait même un temps d'avance sur nous. À plusieurs reprises, quand nous montions, Chris ou moi, on le trouvait déjà sur place, lové au pied du lit ou allongé contre Fraser pour qu'il puisse sentir sa présence.

Ce chat a un sixième sens, pensai-je un soir dans mon lit.

Nous en avions déjà perçu les signes avant, mais c'était toujours un miracle de le constater. On pouvait toujours essayer de rassurer Fraser autant qu'on voulait, Billy, lui, surmontait la situation en quelques secondes. Désormais, les résistances de Chris commençaient même à s'effondrer.

— Tu as remarqué que Billy ne sort pas aussi souvent que d'habitude, la nuit ? demanda-t-il un soir.

Pour la énième fois depuis que Fraser fréquentait sa nouvelle maternelle, Billy nous avait aidés à le calmer.

— Mmmm, dis-je, voyant où il voulait en venir.

— C'est bizarre, parce que c'est sans doute la meilleure période de l'année pour aller à la chasse.

— Humm, répondis-je en souriant intérieurement.

— C'est comme s'il savait que Fraser allait craquer.

— Mmmm.

— Il y a quelque chose de plus, derrière les apparences, chez ce chat, dit-il en se retournant et en éteignant la lampe de chevet.

— Mmmm, répondis-je en éteignant la mienne.

Je dus rassembler toutes les forces dont j'étais capable pour réprimer un rire.

14

Tom et Billy

Tandis que l'été tirait à sa fin, Fraser s'adaptait doucement à sa nouvelle école. Le couloir et la cloche l'obsédaient toujours, mais il avait cessé d'en parler à longueur de journée pour ne plus les mentionner qu'une dizaine de fois par jour, puis de moins en moins souvent. Il ne se réveillait plus au milieu de la nuit pour se plaindre. De plus, le long détour pour éviter le couloir portait ses fruits, pour l'instant du moins. Dieu seul savait comment il réagirait lorsqu'il devrait patauger dans la neige et la boue, mais, une fois de plus, nous attendrions que le problème se pose pour le régler.

Les deux jours par semaine qu'il passait au jardin d'enfants à Crathie l'apaisaient beaucoup. Il s'y sentait un peu chez lui. Les classes plus petites et l'environnement plus intime lui convenaient mieux.

La directrice, très compréhensive, coupa totalement la cloche lorsque je lui expliquai le problème que nous avions éprouvé à Ballater. Cela me donna une raison de plus, s'il m'en fallait, de vouloir le laisser dans cette école à la rentrée suivante. C'est là qu'il aurait les meilleures chances de réussite, j'en étais certaine.

Cela faisait à présent plusieurs mois que nous avions commencé la grande marche en arrière, et j'avais l'impression que nous reprenions enfin la bonne direction.

Un des signes révélateurs de ses progrès fut son changement d'habitude avec la télévision. La répétition et la routine rassurent Fraser, et, pendant longtemps, il n'avait regardé que des programmes destinés aux préscolaires et aux très jeunes enfants.

Il appréciait particulièrement *Dans le jardin des rêves,* une émission de la BBC, avec des personnages colorés, aux noms d'Igglepiggle, Upsy Daisy, qui vivent dans une forêt magique au milieu de marguerites géantes et de fleurs chatoyantes.

Il les regardait en boucle, et j'en avais souvent plus qu'assez de la vue de ces personnages et surtout de la musique du générique. Fraser les appréciait, car il y avait peu de paroles, et les histoires se concentraient sur les formes, les sons et les couleurs qu'il comprenait sans doute plus facilement. Il commençait désormais à regarder des émissions plus élaborées, des dessins animés en particulier. Il s'était entiché de *Tom et Jerry,* ce qui me ravissait. Tout le monde aime *Tom et Jerry.*

Un jour, alors que je lisais un magazine au salon, il regardait un épisode dans lequel Tom, comme d'habitude, se faisait berner par Jerry. Fraser riait de bon cœur.

Sans raison apparente, il se tourna vers moi et me dit :

— Billy, il est comme Tom.

Au début, je crus qu'il voulait dire que Billy ressemblait à Tom, ce qui pouvait vaguement se concevoir. Pourtant, en m'asseyant à côté de lui pour regarder les dessins animés, je compris qu'il y avait d'autres similitudes comiques. Tout d'abord, Billy nous faisait beaucoup rire.

Sa relation avec Toby était particulièrement drôle. En général, les deux chats ne se côtoyaient guère. Ils se laissaient mutuellement le champ libre, surtout parce qu'en vieillissant, Toby devenait de plus en plus apathique et passait la plus grande partie de la journée à dormir dans son coin. De temps en temps, ils se bagarraient sur le tapis. C'étaient de vraies scènes de dessins animés.

Tels des combattants sumos, ils s'épiaient, prêts à se sauter dessus. Toby tournait en rond en remuant la queue, pendant que Billy le fixait. Puis, d'un seul coup, Toby sautait sur Billy et le plaquait au sol par la seule force de son poids. Ils se roulaient l'un sur l'autre, dans une grande boule de poils, jusqu'à ce que, épuisé, Toby ne renonce, ce qui ne prenait jamais longtemps.

Billy était beaucoup plus jeune, bien plus en forme et, s'il l'avait voulu, il aurait largement pu dominer Toby et lui donner une bonne leçon. En fait, c'était une sorte de jeu ; il n'y avait aucune véritable agressivité, pas de rage, pas de coups de griffes.

Cela semblait amuser beaucoup Billy, qui laissait faire Toby chaque fois qu'il en avait envie. Le seul revers, c'était le désordre. Le tapis était toujours couvert d'une masse de poils gris, mais, à dire vrai, cela ne me dérangeait pas de nettoyer, tant ces scènes m'amusaient.

Billy nous offrait également beaucoup de distractions dans le jardin. Il aimait par-dessus tout monter à un arbre quand il jouait avec Fraser. Il sautillait autour de lui, et, tel un écureuil, grimpait soudain le long du tronc et se cachait dans les branches.

Arrivé au sommet, il enroulait ses pattes avant et ses pattes arrière autour du tronc, et se laissait doucement bercer par la brise. Fraser et Pippa s'en amusaient beaucoup. Il restait là-haut des minutes entières, pendant que les deux enfants le montraient du doigt en riant comme des fous.

— Regarde Billy ! Regarde Billy ! criait Fraser.

Parfois, j'aurais juré que le chat le faisait exprès pour obtenir cette réaction.

Comme Toby, Billy était toujours à la recherche d'un supplément de repas. Il n'y avait donc rien de surprenant à ce que cet élément joue un grand rôle lors de ses escapades.

Un jour d'été, nous étions tous dans le jardin, assis sur le grand plaid que nous avions ramené de l'ancienne maison, lorsque Billy s'invita. Il revenait de sa petite promenade matinale, sans doute pour jouer avec Fraser.

Ce fut Pippa qui remarqua la première son état, puis Fraser s'écria :

— Regarde Billy !

On tourna la tête, pensant le voir couvert de végétation quelconque. On fut choqués de voir que sa tête avait pris une teinte jaune vif qui débordait sur le poitrail et le haut des pattes.

Les enfants trouvaient ça hilarant, et, pensant qu'il s'était plongé dans un jaune d'œuf, Fraser se mit à l'appeler « l'œuf Billy ». Pippa, qui adorait son grand frère, en était à l'âge où elle essayait de l'imiter.

— L'œuf Billy, répétait-elle.

J'emmenai Billy à l'intérieur pour le laver. Au début, je n'avais aucune idée de ce qui avait pu lui arriver, mais je finis par reconnaître une odeur distinctive de curcuma. Il avait dû fouiller dans une poubelle où se trouvaient des restes de curry. La seule chose qui était certaine, c'est que cela ne partait pas ! Il fallut plus d'une semaine pour que la couleur s'estompe. Parfois, il donnait l'impression d'engloutir tout ce qui lui tombait sous la dent. Peu après l'incident du curry, Fraser entra en courant dans la buanderie où je vidais le lave-linge. Je sus tout de suite qu'il s'agissait de quelque chose d'important, car il résista à l'envie de faire tourner le tambour, contrairement à son habitude.

— Maman, viens voir Billy, dit-il en tirant sur la jambe de mon pantalon.

— Fraser, tu vois bien que je suis occupée.

— Maman, viens, allez !

Dans la cuisine, je vis Pippa assise sur le sol, à côté de Billy. Elle tenait un gressin.

— Tiens, Billy, c'est pour toi, disait-elle en tendant le gressin que Billy grignota.

Ensuite, elle le reprit et mordit l'autre extrémité.

— Pippa, donne-le-lui encore, dit Fraser, malicieux.

— Non, Pippa…, dis-je en me penchant avant qu'elle ne mette l'autre extrémité du gressin dans la bouche de Billy, déjà ouverte.

J'étais horrifiée. *Encore heureux qu'ils aient mangé chacun à un bout !* Pourtant, je ne pus m'empêcher de rire. Chris faillit s'en étouffer lorsque je lui racontai l'incident, le soir.

Comme Tom, Billy avait la fâcheuse habitude de s'attirer des ennuis, parfois comiques, parfois, non. L'un des incidents les plus amusants se produisit un jour qu'il se trouvait seul à la maison avec Pippa. Fraser était à la maternelle, et Chris, au travail.

— Tout est tranquille ? demandai-je, en bas de l'escalier. Pippa ? Tout va bien ?

— Oui, je change la couche de Billy.

— Quoi ?

— Je change sa couche. Il a le derrière tout rouge.

À peine avais-je posé le pied sur la première marche

que Billy descendait au galop. Il était couvert d'une matière blanche, que je reconnus comme la crème de Pippa. Il en avait sur la tête et la queue.

— Mon pauvre Billy… Eh bien, tu es beau ! dis-je en prenant un torchon.

Avant de pouvoir l'attraper, Billy s'était enfui par la chatière. Il resta à l'extérieur pendant quelques heures, si bien qu'il revint dans un état lamentable. La crème s'était solidifiée. Le pauvre chat ressemblait à un marshmallow. Il me fallut une éternité pour le nettoyer.

Billy était capable de s'attirer des ennuis beaucoup plus graves et il ne s'en privait pas. L'incident le plus terrifiant s'était produit pendant un week-end, à la fin de l'été à un moment où, grâce à Dieu, nous étions absents. Je ne sais pas comment nous aurions réagi si nous en avions été témoins.

Le premier indice visible nous sauta aux yeux dès notre retour d'Aberdeen, où nous étions allés faire des courses. Chris garait la voiture lorsque je remarquai une drôle de tache sur la pelouse qui attira mon regard, car, lorsque nous étions partis, l'herbe était immaculée.

Aussitôt, j'eus un mauvais pressentiment.

— Qu'est-ce qui s'est passé ici ? demandai-je à Chris.

En regardant de plus près, je vis un gros paquet d'excréments au beau milieu de la pelouse et, juste à côté, une énorme touffe de poils. Des poils de chat, de toute évidence.

Oh non ! pensai-je.

Pas besoin d'être Sherlock Holmes pour deviner ce qui s'était passé. Un peu plus loin, au bout de l'allée, se trouvait la distillerie royale Lochnagar. Récemment, un labrador y avait fait son apparition. Comme nous vivions dans une région agricole avec beaucoup d'élevage, la plupart des gens savaient qu'il était important de surveiller leur chien. Sans qu'on sache vraiment pourquoi, ce labrador se promenait en toute liberté. Il avait déjà causé pas mal de dégâts. Plus d'une fois, il avait sauté par-dessus notre petite palissade et s'était mis à déféquer sur notre pelouse. Je l'avais vu un matin par la fenêtre de la cuisine et j'étais sortie aussitôt pour le chasser. Il avait sauté au-dessus de la palissade et avait filé vers la colline pour retourner à la distillerie.

— Ce salaud de chien est revenu dans notre jardin ! dis-je à Chris.

— On dirait qu'il s'en est pris à un des chats. Ce pauvre vieux Toby, sans doute.

Il était logique de penser à Toby. Nous connaissions une période de beau temps, et Toby s'aventurait souvent dans le jardin pour se faire dorer au soleil. Il était plus vieux et plus lent que Billy, et aurait sans doute été incapable d'échapper au labrador. Billy était trop vif et trop primesautier pour se laisser prendre, j'en étais sûre.

Aucun des chats n'était à l'intérieur, si bien que, après avoir rentré les courses et les enfants, je montai à l'étage pour voir si tout allait bien. À ma grande surprise, Toby faisait la sieste dans son coin habituel près du radiateur de notre chambre.

Je m'agenouillai près de lui : il n'avait pas une égratignure.

— On dirait que c'est Billy qui était pris dans la bagarre, dis-je à Chris qui nettoyait la pelouse avant que les enfants ne viennent jouer.

— Je ferai un tour une fois que j'aurai terminé.

— Je vais préparer le goûter et je viendrai avec toi. On ne sait jamais, il sera peut-être rentré tout seul à ce moment-là.

Une heure plus tard, environ, nous n'avions toujours aucun signe de Billy. C'était une belle soirée ensoleillée, et les oiseaux chantaient dans les arbres.

Chris et moi décidâmes de nous séparer. Je fis route en direction de la distillerie pendant qu'il prenait sa bicyclette pour écumer le domaine.

C'était chercher une aiguille dans une botte de foin. Billy aurait pu se trouver n'importe où. Inquiète, néanmoins, je voulais faire tout mon possible pour retrouver sa trace.

Ne pouvant laisser les enfants seuls trop longtemps, je faisais souvent demi-tour pour aller vérifier. Au bout de trois quarts d'heure d'allers et retours, j'étais toujours bredouille. Chris rentra peu après moi, toujours sans nouvelles de Billy.

— Il se cache peut-être quelque part et attend la tombée de la nuit, dit Chris, peu convaincu.

Nous étions incapables de nous détendre. Par chance, habitué aux escapades nocturnes de Billy, Fraser alla se coucher. On allait suivre le même chemin lorsqu'on entendit le son distinctif de la chatière.

J'ouvris la porte avant et vis un Billy en piteux état qui boitait. Il y avait eu une terrible bagarre. Tous ses poils avaient été arrachés sur le dos. Le chien avait dû le prendre dans sa gueule. Par chance, Billy n'avait que des égratignures sans aucune blessure profonde, et je les nettoyai. Toutes sortes d'idées me traversèrent l'esprit pendant que je le soignais.

Je me demandais quelle sorte de scène s'était déroulée pendant notre absence. C'était sans doute beaucoup plus réaliste et beaucoup plus sanglant que les combats de Tom et de Spike, le chien des dessins animés. J'étais content que Fraser n'ait pas vu cela, car il en aurait certainement été traumatisé. Plus que tout, j'étais heureuse que Billy soit revenu entier.

Le lendemain matin, il semblait aller bien. Après le petit-déjeuner, il entra au salon en boitillant et s'allongea près de Fraser, comme s'il ne s'était rien passé.

Fraser remarqua les marques sur son dos, mais ne dit rien. Il se montra plus doux que d'habitude avec lui. Billy devait être encore très endolori et aurait sans doute préféré dormir dans la buanderie plutôt que jouer. Pourtant, il était là pour son ami. C'était un autre trait commun entre Tom et Billy.

Dans *Tom et Jerry,* Tom n'est pas sans cesse en train de poursuivre Jerry. Dans certains épisodes, les deux comparses partagent une amitié sincère et s'occupent du bien-être de l'autre. Billy semblait manifester la même sorte de dévotion pour Fraser et allait parfois au-delà de ce qu'on lui demandait.

Comme son combat avec le chien venait de l'illustrer, Billy avait du caractère et savait prendre soin de lui. Pourtant, il laissait Fraser le traiter comme un simple jouet. Étonnamment, depuis quelques semaines, il se laissait même porter comme une poupée de chiffon.

La première fois que j'avais assisté à la scène, j'avais failli avaler mon café de travers.

— Fraser, qu'est-ce que tu fais ? Tu vas lui faire mal, dis-je en voyant Fraser tenir Billy par le ventre.

— Non, je lui fais pas mal, Billy aime bien que je le porte. Regarde.

Il déposa Billy doucement par terre et me montra comment il procédait. Il se pencha, plaça les deux mains sous le ventre de Billy et se leva, laissant Billy suspendu sur ses bras, comme une marionnette.

— Et il aime bien que je le promène, dit-il en faisant quelque pas, un Billy confiant et tout mou dans les bras.

J'étais sidérée pour toutes sortes de raisons. Tout d'abord, nous avions souvent demandé à Fraser de porter les objets à deux mains, mais il n'y parvenait pas à cause de son hypotonie. Il était presque incapable de porter une tasse et une soucoupe de la cuisine au salon. À plusieurs reprises, il les avait laissées tomber en essayant. Nous lui avons donné un sac à dos pour aller à la maternelle, mais il manquait de tomber sous le poids.

Le voir porter Billy ainsi était stupéfiant. Il refit le même geste un jour que ma mère était là, et elle en resta bouche bée.

Le plus surprenant encore, c'était que Billy se laisse faire. Si Pippa, Chris ou moi avions essayé la même chose, il se serait débattu, j'en suis certaine.

Cela nous donnait la mesure de la profondeur de leurs liens et de leur confiance mutuelle. Ils étaient devenus une nouvelle version de Tom et Jerry : Fraser et Billy.

15

Danse
d'Halloween

L a nuit était tombée sur Balmoral, mais le domaine bouillonnait de vie. Des familles entières, en bonnet et veste fluorescente, marchaient vers le château, brandissant des torches qui illuminaient le chemin. De temps à autre, le silence était brisé par le vacarme d'un pétard ou le sifflement d'une fusée qui décollait pour exploser dans le ciel.

Nous étions à Halloween, et tout le monde semblait avoir envie de faire la fête, nous y compris.

La tradition remontait à la reine Victoria qui organisait tous les ans en octobre une grande procession aux chandelles. Avec des centaines de gardes-chasses, serviteurs, paysans et leur famille, elle avançait vers le château, où on allumait un gigantesque feu de joie. D'après les récits historiques que j'avais lus, cela semblait être une fête extraordinaire. Les participants portaient des toasts en l'honneur de la monarchie, les gens dansaient et brûlaient des figures de sorcières et de sorciers. Apparemment, Victoria aimait voir les gens porter des costumes macabres, et cette date était un des grands moments sur le calendrier de Balmoral. Ce rituel avait survécu depuis plus d'un siècle, même si la famille royale n'y participait plus. Les plus jeunes venaient encore en vacances au domaine à cette époque, mais ils fêtaient Halloween dans les pavillons de chasse qui parsemaient le paysage. La fête du château était désormais destinée au personnel du domaine et à leur famille.

Les années précédentes, Fraser éprouvait des sentiments mitigés envers Halloween. Lors de la première année en Écosse, au moment où nous venions de nous installer au portail, je l'avais emmitouflé dans un gros manteau pour aller écouter une conteuse, déguisée en sorcière, qui amusait les enfants dans une cabane, près du château. Cela lui avait beaucoup plu. Il avait aussi aimé le petit feu d'artifice. Malheureusement, il n'avait pas apprécié la fête organisée pour les enfants du domaine ; pour cette raison, depuis, nous évitions de nous y rendre.

L'ancien Fraser n'aimait pas se trouver au milieu de beaucoup d'enfants, surtout s'ils portaient des costumes de Dracula ou de Frankenstein.

Sa nouvelle attitude nous permettait de mesurer les grands pas accomplis. Peut-être était-ce grâce au jardin d'enfants, qui avait consacré de nombreuses activités à Halloween – fabrication de lanternes dans des citrouilles et autres chapeaux pointus de sorcières –, mais, vers la mi-octobre, il commença à poser des questions :

— Qu'est-ce qui se passe à Halloween ? demanda-t-il, un matin.

Fraser détestait les dessins animés comme *Scooby Doo*, qui lui faisaient peur, et l'idée d'aller scander aux portes « farce ou bonbons » le terrifiait, même s'il savait plus ou moins qui allait ouvrir. J'insistai donc sur les aspects qui risquaient de le séduire.

— Oh ! C'est un soir où les gens se déguisent pour aller voir le feu de joie et le feu d'artifice, et où l'on offre des bonbons aux enfants. Tu y es déjà allé, tu te souviens ? La sorcière qui racontait des histoires ?

— Oui. Fraser pourra se déguiser cette année ?

— Si tu veux.

— Avec un vrai costume ?

Fraser étant Fraser, il changea d'avis une bonne dizaine de fois depuis cette première conversation, pas seulement à cause du costume, mais aussi parce qu'il ne savait plus s'il voulait y aller. Une demi-heure avant de partir, il ne voulait plus mettre le pied dehors. Il avait entendu du brouhana, au moment où les voisins se mettaient en chemin pour le château, et s'était mis dans tous ses états une fois de plus, se bouchant les oreilles avec les mains. Par chance, on eut un soutien bienvenu sous la forme de Billy, qui traînait dans les parages, ce soir-là. Fraser se pelotonna au salon pendant quelques minutes avec lui, et son sentiment de panique s'apaisa.

Alors qu'il nous restait à peine une heure avant le début des festivités, il était finalement satisfait.

J'avais réussi à lui fabriquer un superbe costume. Il portait un bandeau sur l'œil, un bandana rouge, avec un crâne et des os en croix, un blouson orné du même motif et un tee-shirt blanc de pirate. En fait, il n'avait pas l'air effrayant, il était juste adorable. Je ne pus résister à l'envie de le photographier.

Chris se changea en rentrant du travail. Nous étions tous impatients de partir. Il n'y avait pas tant d'occasions au domaine de se retrouver tous ensemble sans formalité, et certains de nos amis étaient déjà passés pour lui demander si nous y allions toujours. Ils savaient à quel point la situation était changeante avec Fraser.

— On dirait bien que oui, pour l'instant, dis-je à l'un de nos amis.

La fête des enfants commençait un peu avant sept heures du soir, si bien qu'à moins le quart, on attrapa les torches et les bâtons lumineux, dont quelques-uns furent stockés dans la poussette de Pippa, puis on sortit dans la nuit. En chemin, on rencontra d'autres familles avec leurs enfants tout excités. Fraser n'arrêta pas de parler tout le long du chemin, son enthousiasme augmentant à chaque pas.

Les festivités commencèrent par un jeu de torches sur la façade du château. On distribua des bâtons lumineux (Fraser les adorait) à tous les enfants et on leur demanda de faire une ronde à laquelle notre fils participa, faisant de son mieux pour suivre le rythme des grands, plus rapides que lui. Il fut récompensé par une poignée de bonbons qu'il essaya en vain de fourrer dans ses poches déjà trop pleines.

— Fraser aime les bonbons, répéta-t-il pendant les cinq minutes suivantes.

Ensuite, on se dirigea vers le terrain de cricket du domaine, sur lequel le personnel lançait un feu d'artifice. Cela ne valait pas la cérémonie de clôture des Jeux olympiques, il ne s'agissait que de quelques dizaines de fusées, mais c'était amusant et, surtout, cela plaisait beaucoup à Fraser. Lorsque la première fusée signala le début du feu d'artifice, Pippa était dans sa poussette, et, entre Chris et moi, Fraser nous donnait la main.

Une fois de plus, je ne pus m'empêcher de repenser aux années précédentes. Fraser aurait été incapable d'accomplir plus de quelques pas, et il aurait été bien trop nerveux et bien trop angoissé pour supporter le bruit des explosions. Tandis qu'il se joignait au concert de oh ! et de ah ! qui saluait chaque fusée, j'échangeai avec Chris des regards qui ne demandaient aucune explication. C'était ce genre de moments que nous avions rêvé de partager lorsque nous avions décidé d'avoir des enfants. Jusque-là, ils avaient été très rares, mais l'attente en avait valu la peine. Il était encore assez tôt, et, comme les deux enfants s'amusaient beaucoup, on entra dans le bâtiment qui abrite la boutique-cadeau pendant la saison touristique pour rejoindre les autres familles et participer à la fête.

Le personnel avait préparé des sandwichs, des chips et des boissons amusantes aux noms de « sang de chauve-souris » et autres dénominations peu ragoûtantes, que Fraser but goulûment. Toujours dans sa poussette, Pippa semblait fascinée par le spectacle. Je lui donnai un biscuit, une boisson et la laissai avec les autres enfants.

De la sangria et des amuse-bouches attendaient les adultes. Je rejoignis un couple d'amis qui habitaient au domaine. Tout en bavardant gaiement, je jetai un coup d'œil vers Fraser.

— Chris, regarde ! dis-je en le tirant par la manche.

Un des membres du personnel s'était mis à passer une musique un peu effrayante pour faire danser les enfants. Au beau milieu de la piste, Fraser se tortillait au son de *Monster Mash*, de Bobby Boris Pickett & The Crypt-Kickers.

Où avait-il appris à danser ? Je n'en avais pas la moindre idée. Pourtant, il se débrouillait très bien, se balançait élégamment sur ses chaussures orthopédiques et esquissait quelque chose entre la gigue et le reggae. Il aurait pu faire partie d'un groupe de musique jamaïcaine ou être une miniversion de Suggs, du groupe Madness, à agiter ainsi les bras et à arquer le dos au rythme de la musique. C'était le plus beau moment de sa vie.

Comme nous n'avions de smartphones ni l'un ni l'autre, cette image n'est pas conservée pour la postérité, sur le papier du moins. Peu importe. Elle resterait gravée dans ma mémoire pendant les années à venir.

C'était fantastique. La fête se termina vers huit heures trente. Sur le chemin du retour, dans la vaste obscurité des Highlands, éclairés par les petites lumières de nos bâtons lumineux et de nos torches, nous étions tous de bonne humeur. Sans le moindre doute, c'était notre plus belle soirée depuis notre arrivée à Balmoral. Fraser parlait encore du bal et du « sang de chauve-souris ».

— Fraser a dansé le *mash*, disait-il.

— Oui, Fraser. Tu es très bon danseur.

Nous avions largement dépassé l'heure du coucher habituelle, et Fraser était fatigué, ce qui ne l'empêcha pas de bavarder avec Billy pendant si longtemps que nous fûmes obligés de les séparer.

— Allez, il est l'heure, tu vas au jardin d'enfants, demain matin, dis-je à Fraser, pendant que Chris attrapait Billy et l'emmenait à la buanderie.

— Maman, Halloween, c'est amusant, dit Fraser, tandis que je le bordais.

— Oui, tu as raison, Fraser.

Ce soir-là, Chris et moi, nous avons longuement parlé des événements de la fête. Nous étions aux anges. Fraser s'était comporté d'une manière que nous aurions crue impossible un an ou deux auparavant. Il s'était mêlé à la foule, avait supporté le bruit et les explosions et, surtout, il avait participé à une activité sociale, ce qui, pour nous, était le plus surprenant. Il avait même dansé !

— D'où ça vient ? dit Chris en riant, lorsque je lui rappelai la danse de *Monster Mash*.

Il n'y a pas si longtemps, s'abandonner à la danse avec une telle confiance en soi aurait été impensable pour lui. Il se serait sans doute roulé par terre en hurlant comme un goret. D'une certaine manière, des murs tombaient. Il sortait de plus en plus souvent de sa coquille et devenait un enfant comme les autres, charmant et amusant.

— On n'a qu'à continuer à faire comme d'habitude, dis-je à Chris.

Chris hocha la tête et sourit.

— C'est difficile, mais je sais que nous allons quelque part.

Cette nuit-là, dans mon lit, je n'arrêtais pas de penser. Cette fois, cependant, c'était d'un cœur léger. Tout semblait positif.

Tandis que le premier trimestre à la nouvelle maternelle et à Crathie approchait de sa fin, Fraser accomplissait de gros progrès. Sans conteste, être en contact avec d'autres enfants cinq jours par semaine lui apportait beaucoup. Les maîtresses de Crathie, en particulier, le poussaient à sortir de ses retranchements. Et puis, bien sûr, il y avait Billy. Il faisait partie de l'équation, je n'en doutais pas. Quel rôle jouait-il exactement ? Eh bien, c'est une bonne question.

Par moments, à la cuisine, je me contentais d'observer Billy en essayant de deviner son secret. Il ne faisait pas partie de ces chats célèbres qui jouent au bonneteau ou au piano sur Internet. Il n'avait pas l'air particulièrement intelligent. En fait, il était même un peu borné. Mais, pour nous, il avait des qualités qui sortaient de l'ordinaire. Plus on le connaissait, plus il nous semblait sensationnel.

C'était sa compréhension intime de Fraser qui nous sidérait. J'étais persuadée que Billy était sensible à des choses qui nous échappaient, en ce qui concernait la santé, par exemple. Nous nous en étions aperçus lorsque Fraser avait mal réagi à son vaccin, et nous eûmes l'occasion de nous en apercevoir encore quelques semaines après Halloween, lors d'une grande vague de froid.

Je préparais à dîner dans la cuisine, mais j'avais branché le babyphone pour écouter les enfants. Fraser semblait avoir attrapé un rhume. Je lui avais donné du sirop et j'avais pris sa température. Il n'y avait rien d'anormal, mais j'avais fixé rendez-vous avec le médecin le jour suivant, par précaution, car il était toujours asthmatique.

Quand je l'avais laissé, il somnolait dans son lit. Très fatigué, il avait besoin d'une bonne nuit de sommeil. J'étais en train de débarrasser la table lorsque je remarquai que je n'entendais plus sa respiration dans l'appareil. À la place, j'entendais le cri persistant d'un chat qui ne cessait de miauler.

— Qu'est-ce qu'ils fabriquent encore ? dis-je, un peu agacée que Billy dérange Fraser.

Lorsque je montai dans la chambre, je vis que Billy, plutôt agité, tournait autour du lit. On aurait dit qu'il patrouillait tout autour, tel un gardien de nuit névrotique.

Fraser semblait dormir profondément, et je n'osai pas le déranger.

— Allez, Billy, ça suffit, murmurai-je, et je le posai délicatement à sa place, au pied du lit de Fraser.

Je descendis m'occuper de ma cuisine.

Je n'étais pas là depuis deux minutes que Billy se remit à miauler. Chris était rentré après s'être battu avec le moteur de la voiture. Il était couvert de graisse et d'huile.

Il repéra immédiatement le bruit.

— Qu'est-ce qui se passe ? C'est Billy ?

— Oui, il est agité, je ne sais pas pourquoi.

— Je ne peux pas monter dans cet état, me dit-il en me montrant ses mains noires. Il faut que tu ailles le chercher, sinon il va finir par réveiller Fraser.

Plutôt grincheuse, je remontai et pris Billy. Je le descendis et le flanquai dehors, car je savais que, si je le laissais à l'intérieur, il serait immédiatement remonté dans la chambre de Fraser. Même ainsi, il passa plus d'une heure à faire les cent pas, comme un malade. Je le laissai faire. J'allai me coucher de bonne heure, ce soir-là, sans en savoir plus sur ce qui avait causé l'agitation de Billy.

Le lendemain, je conduisis Fraser chez le médecin, comme prévu. M'imaginant qu'il n'avait qu'un simple rhume, je faillis tomber de ma chaise lorsque, après avoir pratiqué quelques examens et observé sa gorge, le médecin m'annonça qu'il avait une amygdalite.

— Il va falloir le mettre sous antibiotiques et le garder au chaud pendant une semaine au minimum, déclara-t-il. Heureusement que vous avez tout de suite remarqué que c'était grave, madame Booth, ajouta-t-il.

Je ne lui précisai pas que le véritable expert en diagnostic était en fait notre chat.

16

Joyeux Noël

Un léger vent d'hiver tentait de se lever et une brume dense était suspendue sur les rives du Dee.

On attacha Pippa et Fraser sur leur siège, on entassa les dernières valises et les cadeaux dans le coffre de la voiture et on se mit en route à l'aube. Une longue journée nous attendait.

Nous allions parcourir les six cents kilomètres qui nous séparaient de l'Essex pour passer Noël chez mes parents.

J'étais très proche de ma famille et j'aimais passer Noël avec ma mère, mon père, ma sœur et sa famille. Hélas, comme d'habitude, ma joie était modérée parce que je savais que, pendant les onze heures suivantes, on serait non seulement confrontés aux intempéries écossaises, aux routes imprévisibles, mais aussi à un Fraser encore moins prévisible.

Les voyages étaient l'un des rares domaines dans lequel Fraser n'avait accompli que peu de progrès. Même Billy ne suffisait pas à le calmer. C'était assez paradoxal, car Fraser adorait les voitures et passait une grande partie de son temps à les observer et à nommer les différentes marques. Mais il souffrait également de toute une série de phobies qui pouvaient provoquer crises et hurlements.

Il détestait, par exemple, avoir le soleil directement sur le visage et ne supportait pas que l'on conduise face au soleil en été. Plus d'une fois, Chris avait été obligé de s'arrêter sur le bas-côté et d'attendre que le soleil se couche lorsque l'on remontait la vallée du Dee en plein été.

Il ne supportait pas les lunettes de soleil et refusait d'en mettre. Nous avions dû acheter des protections spéciales qui filtraient le soleil sur sa vitre. Pour être honnête, ce n'était qu'un inconvénient mineur.

À un moment, lorsque Chris avait besoin d'une voiture pour se rendre au travail, nous en avions deux : une Mazda noire et une Renault grise. Fraser préférait la Mazda noire et insistait pour qu'on la prenne.

Depuis un an, environ, il refusait totalement la voiture grise, ce qui était intéressant, car, à son insu, elle avait été impliquée dans un accident que j'avais eu avec Pippa, grâce à Dieu, sans Fraser. Je revenais de Ballater, en hiver, et j'avais roulé sur une plaque de verglas sur une zone sinueuse, bordée d'arbres. J'avais perdu le contrôle du véhicule et j'avais fait un tête-à-queue pour m'arrêter, par miracle, entre deux gros arbres.

À quelques dizaines de centimètres près d'un côté ou de l'autre, j'aurais risqué ma vie et celle de Pippa. On sortit sans une égratignure, mais la voiture ne s'en tira pas aussi bien. En quittant la route, elle avait roulé sur quelques souches, et tout le fond avait été raclé. Les réparations avaient nécessité six semaines, et ce fut à ce moment-là que Fraser commença à ne plus la supporter. Un peu comme s'il avait deviné ce qui s'était passé.

Une fois installés au domaine, on n'avait plus besoin que d'une seule voiture, si bien qu'au désespoir de Fraser, je vendis la Mazda. Par moments, il ne cessait de répéter « Fraser aime pas cette voiture » pendant tout le trajet de Balmoral à Ballater. Pourtant, comme pour les autres problèmes, cela finit par se régler.

Dans un monde idéal, nous n'aurions pas été obligés de faire la route. L'aéroport d'Aberdeen se situe à moins d'une heure de chez nous et offre des vols réguliers. Malheureusement, l'avion était exclu.

Ce n'était plus possible après le cataclysme qui s'était produit lorsque Fraser approchait de son second anniversaire. Si je devais dresser la liste des cinq moments les plus abominables de mes débuts avec Fraser, le vol de Luton à Aberdeen aurait été numéro un.

Pour fêter l'anniversaire de Fraser, nous avions pris un vol de bonne heure, un samedi matin. Tout s'était bien passé, et mes parents étaient venus nous chercher à l'aéroport.

Ce ne fut qu'au retour, une semaine plus tard, que la situation devint explosive.

Maman m'accompagna au terminal pour m'aider à enregistrer les bagages. Elle portait Fraser pendant que je présentais billets et valises. Jusque-là, rien à dire.

Lorsqu'on dut emprunter l'escalier mécanique pour se diriger vers la salle d'embarquement, l'enfer se déchaîna. En y réfléchissant, je crois que c'est le bruit des roues de la valise-cabine que j'avais prise avec moi qui déclencha tout. Elle faisait un bruit de roulement et de grincement, le genre de bruit que notre fils ne supportait pas.

Fraser était dans sa poussette, mais il se mit dans un tel état de rage qu'il en avait le front brûlant. Au moment de franchir le portique de sécurité, je sentais que les gens essayaient de nous fuir. De nombreux passagers nous observaient d'un air hautain.

« Pourquoi n'arrive-t-elle pas à le calmer ! » disaient leurs visages.

Ensuite, on forma une sorte de queue sinueuse. Lorsqu'on arriva devant le tapis à bagages, le personnel voulut le sortir de sa poussette.

Fraser passa à la vitesse supérieure. La crise était si épouvantable qu'un des employés me demanda s'il fallait appeler un médecin.

Grâce à Dieu, quelqu'un eut pitié de moi et me rendit la poussette pour que j'y installe Fraser.

De nouveau, il fallut faire la queue sur l'escalier menant au tarmac où l'avion nous attendait.

Ce fut apocalyptique. Lorsque vous vous retrouvez dans une telle situation, personne ne veut vous parler, personne ne veut vous regarder. On se sent comme un lépreux.

Une fois dans l'avion, Fraser était tout trempé. Il avait transpiré à tel point que ses vêtements étaient à tordre.

Une gentille hôtesse m'avait donné une serviette humide pour que je puisse le rafraîchir. Hélas, je ne pouvais pas effacer mes souvenirs et, lorsque je retrouvai Chris à l'aéroport d'Aberdeen, je me jurai de ne plus jamais revivre une telle scène.

Voilà pourquoi, quelques jours avant Noël, on avait pris le volant aux premières lueurs de l'aube. Pour rendre le voyage aussi peu pénible que possible, on avait mis au point un rituel qui semblait convenir : on faisait une seule étape, avec trois longs arrêts en chemin, le premier à Stirling, toujours en Écosse, le deuxième aux environs de Carlisle, et le dernier près de Lancaster sur la M6.

Pour ne pas risquer le pire, nous évitions d'emmener Fraser aux toilettes dans les stations-service, à cause des sèche-mains bruyants qui le perturbaient. Les années précédentes, je m'étais contentée de changer sa couche à chaque arrêt. À présent qu'il était propre, j'avais apporté un petit pot que j'utilisais dans la voiture. On choisit des endroits équipés de toilettes familiales pour que je puisse le vider.

Cette année-là, le voyage se déroula assez bien. Peut-être parce que, pour la toute première fois, Fraser s'intéressait plus à Noël que d'habitude.

Avec les autres enfants du groupe de Crathie, il avait participé à la scène de la Nativité à la chapelle royale. Il y jouait le rôle d'un mouton et avait même chanté avec les chœurs, une véritable prouesse pour lui.

L'école avait organisé la cérémonie de façon magistrale et avait conduit les enfants à l'église avant le début de l'office pour qu'ils ne soient pas trop impressionnés. Je ne cacherai pas qu'une larme a coulé sur ma joue lorsque j'ai vu Fraser sur scène avec les autres enfants. J'avais écarté toute idée de le voir un jour dans une scène de la Nativité. C'était un de ces rêves abandonnés auxquels je commençais doucement à repenser.

Il avait aussi commencé à apprécier la fête de Balmoral, donnée au profit des enfants. Il avait été très content de son cadeau, une Mini Cooper sur une rampe, avec un véritable volant et un bouton qui faisait sauter la voiture lorsqu'on appuyait dessus.

De plus, tout le long du trajet, il sembla très impatient de revoir les fils de ma sœur, qui venait également pour Noël.

Chris et moi partagions le volant et nous avions bien roulé. On arriva chez mes parents en début de soirée, juste à temps pour le dîner.

Fraser avait toujours été très à l'aise chez mes parents. Il s'y sentait en sécurité. Maman avait préparé un repas qu'il mangea de bon cœur tout en bavardant gentiment. Il s'était servi d'une cuillère, comme il l'avait appris au cours des derniers mois avec l'aide de Lindsey.

La conversation tourna autour de deux sujets principaux . les voitures croisées le long de la route et Billy.

Ce fut une succession interminable de phrases.

« Fraser aime beaucoup Billy, papy. » « Billy est mon chat gris. » « Billy a attrapé une souris. » « Billy monte dans l'arbre. » « Billy est vilain. »

Fraser dormait toujours très bien chez mes parents, sans doute parce que son esprit était fatigué par les stimulations du voyage, mais aussi parce que la vie était beaucoup plus animée que dans notre maison tranquille des Highlands. C'était l'une des raisons pour lesquelles je me réjouissais d'habiter là-haut. Fraser ne se serait jamais adapté à la vitesse et à l'agitation de la vie dans le sud-est de l'Angleterre.

Il n'avait pas plus tôt fini de manger qu'on le mit au lit avec Pippa, avec qui il partageait toujours sa chambre chez mes parents. Il alla aux toilettes tout seul et se brossa les dents avant de dire au revoir. Chris lisait une histoire aux enfants pendant que je bavardais avec mes parents devant une tasse de thé à la cuisine.

Personne n'était mieux placé que papa et maman pour constater les progrès accomplis par Fraser. Comme la maman de Chris, ils ne le voyaient que tous les deux mois, si bien qu'ils remarquaient vite ce qui avait changé. Ils avaient constaté les hauts et les bas, les avancées et les reculs. De plus, mon père et ma mère n'avaient pas l'habitude de mâcher leurs mots. Ils ne déguisaient pas la vérité et s'étaient déjà montrés très directs par le passé, surtout à l'époque où je refusais d'admettre que j'avais besoin d'aide.

Ce soir, cependant, ils n'avaient que des paroles élogieuses.

— C'est incroyable, les progrès accomplis depuis la dernière fois, dit ma mère.

— Oui, mais c'était la guerre, à ce moment-là ! C'était pendant l'été où tout se détériorait.

— Je sais, mais, malgré tout, ce n'est plus le même garçon. Il a l'air beaucoup plus heureux.

Depuis longtemps, ils étaient prêts à faire face à tous les particularismes de Fraser. Mais, cette fois, ils avaient été surpris par la manière dont il marchait, parlait, s'engageait dans les conversations. Le voir aller aux toilettes, manger seul avec un couteau et une fourchette, se passer de tétine était une révélation pour eux.

— Tu sais ce que tu as fait de mieux, Louise ? me dit ma mère. Lui offrir ce chat. Le petit Billy. Je crois que cela a changé beaucoup de choses dans sa vie.

Chris revint bientôt, et la conversation bascula sur un autre sujet, mais leurs paroles m'accompagnèrent pendant toutes les vacances de Noël.

Pour être honnête, je me trouvais un peu stupide à accorder tant d'importance à la relation de Fraser et Billy. Malgré les articles de journaux, je me demandais parfois s'il tenait un rôle aussi important que celui que je lui attribuais. N'étais-je pas seulement une mère un peu névrosée, qui cherchait des explications là où elles n'existaient pas ? Bien entendu, personne ne le saurait jamais. Néanmoins, j'étais certaine d'une chose : coïncidence ou pas, les progrès de Fraser depuis l'arrivée de Billy étaient bien réels. Tous ceux qui connaissaient et aimaient Fraser le constataient. C'était l'essentiel. Comme j'avais l'impression d'avoir déjà reçu mon cadeau de Noël, j'en profitai pour donner le mien à papa et à maman.

Je fis un clin d'œil à Chris qui fit oui de la tête.

— Bon, on a une autre nouvelle à vous annoncer, dit Chris, un peu nerveux.

Mon père et ma mère se regardèrent, puis se tournèrent vers Chris.

— Laquelle ? demanda papa.

Chris me fit signe de continuer.

— Je suis enceinte.

Nous n'étions pas certains de vouloir le leur annoncer, mais tout le monde était de si bonne humeur que nous avions décidé de sauter le pas. Sans doute était-ce un peu prématuré, car la grossesse ne datait que de huit semaines et que j'avais déjà eu une petite frayeur. Je m'étais évanouie à la cuisine et l'on m'avait emmenée à l'hôpital d'Aberdeen en ambulance, tant ma tension était basse. À présent, je me sentais en forme.

Mes parents savaient que nous aimerions avoir un autre enfant, même si les naissances de Fraser et Pippa avaient été difficiles. J'avais été ravie lorsque le médecin m'avait annoncé la nouvelle au début de décembre.

Noël était donc une plus grande fête encore que d'habitude, et tout le monde était d'humeur radieuse. Ma sœur arriva le matin de Noël avec son mari et ses deux fils qui, à sept et dix ans, avaient deux et cinq ans de plus que Fraser. Ses garçons s'entendaient bien et semblaient transmettre un peu de leur enthousiasme à Fraser.

Il reçut de nombreux présents auxquels, comme d'habitude, il ne prêta que peu d'attention. Ce qui l'intéressait, c'était de parler de Billy et de raconter que Sandy, Cilla et leur petit-fils Murray s'occupaient de Billy.

— Murray aime bien Billy, répétait-il.

Il y avait des éléments des fêtes de Noël qui laissaient Fraser indifférent : les gâteaux-surprises, par exemple, surtout parce qu'il n'avait pas la force de les déballer, même s'il aimait entendre les horribles blagues écrites sur les papiers. Ce qui lui plaisait surtout, c'étaient les repas. Cette année-là, il mangea de tout, y compris de la dinde et sa garniture, ainsi que la mousse au chocolat.

Le soir, on regarda la télévision et on joua à un jeu de mime. Fraser participa, même s'il passa la plupart du temps à courir dans la pièce sans vraiment comprendre de quoi il s'agissait. Sauf une fois.

À un moment, je décidai de faire quelque chose d'un peu original pour faire rire. C'était Noël, après tout.

— J'en ai assez des titres de films et des livres ! Alors, cette fois, je vais imiter autre chose.

Maman, papa, Chris et ma sœur me regardèrent bizarrement au début et écarquillèrent les yeux lorsque je revins de la cuisine avec un gressin.

— OK, c'est bon.

Je commençai en plaçant un doigt sur mon bras, pour signaler qu'il ne s'agissait que d'un seul mot, puis je mis deux fois deux doigts derrière ma tête pour symboliser des oreilles.

— Un animal, dit mon père, ne sachant toujours pas où je voulais en venir.

Puis je commençai à partager le gressin avec Pippa.

— Vas-y, Pippa, prends une bouchée. Bien. Et maintenant une bouchée pour moi. Bien. Alors, qui est-ce ? demandai-je.

Personne n'y comprenait rien, sauf Fraser qui s'arrêta soudain de courir et ouvrit grand la bouche et les yeux.

— C'est Billy ! s'exclama-t-il.

Il en parla pendant presque tout le trajet du retour.

17

Le seizième sens

L e Nouvel An n'était passé que depuis trois semaines lorsqu'une soudaine vague de froid transforma Balmoral en un paysage hivernal de conte de fées. Dans un décor couvert de blanc, avec ses tourelles de granit saupoudrées de sucre glace, le château semblait sorti d'un film de Walt Disney.

Notre jardin étant couvert d'une épaisse couche de neige, comme toutes les familles, Chris, Fraser, Pippa et moi avions fait un bonhomme de neige.

Chris formait les grosses boules pendant que je l'observais avec les enfants. Fraser ne s'était jamais beaucoup intéressé à la neige, mais il était avec nous et marchait dedans dans sa dernière paire de chaussures.

Toby et Billy étaient les seuls à ne pas participer à l'aventure. L'absence de Toby était prévisible : il faisait bien trop froid pour lui. Billy était dehors, mais il se conduisait de manière erratique. De temps à autre, il traversait le jardin au galop, s'arrêtait brusquement à deux mètres de moi, sautait sur mes pieds avant de repartir au grand galop. C'était étrange. Il ne se conduisait pas comme ça avec Pippa, Fraser ou Chris ; seulement avec moi.

Chris et les enfants trouvaient cela très drôle.

— Billy devient fou ! Complètement fou ! dit Chris en lui jetant une boule de neige.

On pensait que c'était peut-être la vue de la neige qui l'excitait tant, mais, comme il était né dans les Highlands, ce ne devait pas être la première fois qu'il en voyait. Il était né en 2010, année particulièrement enneigée dans la région. Je n'y prêtai plus attention.

Les fêtes passées, la vie était devenue beaucoup plus tranquille, ce qui n'était pas plus mal. J'en étais à ma douzième semaine de grossesse et je me sentais vraiment, vraiment très fatiguée. Ma tension étant normale depuis ma syncope en décembre, je pensais que tout allait bien. *Je suis juste un peu plus vieille, j'ai deux enfants maintenant, il faut que je me ménage un peu*, me dis-je.

Quelque temps après cette étrange conduite dans la neige, Billy devint de plus en plus bizarre. Le lundi, il fit quelque chose qu'il n'avait encore jamais fait et n'a jamais refait depuis : il a fait ses besoins à l'intérieur de la maison.

On ne lui avait jamais installé de litière, car c'était inutile : Billy et Toby sortaient chaque fois que nécessaire. Ce jour-là, sans qu'on sache pourquoi, Billy avait décidé de se cacher dans un coin de la cuisine et de faire pipi sur le carrelage. Je le pris sur le fait, pour ainsi dire. Lorsque je vis la petite mare de liquide orangé sur le carrelage propre, j'étais furieuse.

— Billy, vilain garçon ! m'exclamai-je.

C'était étrange ; cela ne lui ressemblait pas. Comme tous les chats, il était très propre. Ce ne fut pas le dernier de ses comportements bizarres. Le même soir, il monta sur la paillasse, ce qu'il n'avait jamais fait auparavant.

— Billy, descends de là !

Il se sauva, commença à monter et à descendre l'escalier en furie. J'allai dans le couloir et l'observai un instant. Il m'adressa un regard étrange, puis, sans crier gare, se sauva dans la buanderie et grimpa sur l'établi.

Je n'eus pas le temps de le gronder cette fois, car le téléphone sonna. C'était ma mère.

— Billy se conduit bizarrement, lui expliquai-je à la fin de notre conversation.

— Il a des puces ?

Un de nos chats avait eu des puces un jour, et je me rappelais à quel point cela pouvait être désagréable.

— Je vérifierai, mais je ne pense pas. Il est toujours dehors. Il s'est peut-être frotté contre quelque chose.

Je l'examinai après le coup de téléphone, mais tout allait bien. Le lendemain, sa conduite fut tout aussi déroutante. Il surgissait de nulle part, sautait sur mes pieds et s'agitait comme un forcené. C'était un peu sinistre. J'avais l'impression qu'il me poursuivait. Il se conduisait un peu comme Pippa qui ne supportait pas que je téléphone et qui tournait tout autour de moi en disant des « Maman, maman ». Visiblement, il essayait de retenir mon attention, mais pourquoi ? Je n'en avais pas la moindre idée.

Ce soir-là, le mardi soir, il monta d'un cran. C'était incroyable. Chris était allé prendre un bain à l'étage après avoir couché les enfants. Je faisais un puzzle sur la table de la cuisine lorsque j'entendis un grand bruit. J'allai voir à la porte de devant et regardai en haut de l'escalier sans rien remarquer. Le bruit recommença.

Billy était en train d'essayer d'ouvrir la porte arrière en sautant sur la poignée.

— Eh bien, entre, si tu veux…, dis-je en lui ouvrant.

Il s'enfuit dans le noir.

Je commençai à m'inquiéter. J'imaginais je ne sais quoi, qu'une étrange maladie l'avait rendu fou, qu'il avait attrapé la rage… Que sais-je encore ?

— Non, ce n'est sûrement rien de grave. Il faut peut-être l'emmener chez le vétérinaire, dit Chris pour me réconforter. Juste au cas où il aurait mangé une cochonnerie dehors.

Je n'eus pas le temps de lui répondre. Tout d'un coup, un bruit sourd retentit, comme si quelque chose heurtait de nouveau la porte.

J'allai de nouveau ouvrir, et, cette fois, Billy entra.

— Qu'est-ce qui t'arrive ? Tu as faim ?

Je lui mis de la pâtée dans sa gamelle, mais il n'en voulut pas. Il continuait à sauter dans tous les sens et à essayer d'attirer mon attention. Que me voulait-il donc ? Je n'en avais pas la moindre idée.

Le lendemain, je commençai à me sentir très mal. J'appelai l'hôpital d'Aberdeen qui me conseilla de venir par mesure de précaution. Comme on connaissait mes problèmes avec la naissance de Fraser et Pippa et qu'on savait que j'avais fait une syncope avant Noël, personne ne voulait prendre le moindre risque.

Par chance, les enfants étaient couchés, et une voisine accepta de venir le surveiller.

Sans entrer dans les détails un peu éprouvants, je compris vite que je faisais une fausse couche. On partit pour l'hôpital à huit heures du soir. Dès neuf heures et demie, dix minutes après mon arrivée, le médecin m'annonça que j'avais perdu l'enfant. Le personnel s'était montré très efficace, mais n'avait rien pu faire.

J'étais effondrée, en état de choc. Pendant un instant, je ne compris pas vraiment ce qui m'arrivait. Le pire, c'était que le service réservé aux grossesses interrompues était fermé, faute de personnel. Je dus rester à la maternité, avec les femmes qui avaient donné naissance à leur enfant. On me plaça en chambre seule, mais cela ne suffit pas à adoucir ma douleur.

J'avais l'impression de ne pas être à ma place. Je ne voulais pas me trouver au milieu de femmes avec leur bébé. Le mien n'existait plus, et je voulais retrouver Fraser et Pippa, mes deux enfants. Pour s'assurer que l'hémorragie était bel et bien terminée, on me garda en observation jusqu'à trois heures du matin.

L'hôpital voulait me garder jusqu'au lendemain pour pratiquer un scanner, mais j'en avais assez. J'avais envie de rentrer à la maison. J'avais vraiment besoin de mes enfants. Inquiet pour moi, Chris insista pour que je reste, mais finit par comprendre que cet environnement me faisait plus de mal que de bien. Il voyait à quel point cela me perturbait.

On expliqua donc la situation, et le service comprit que je vivais dans une communauté éloignée et que mes enfants avaient besoin de moi. Si la neige s'obstinait à tomber, comme les prévisions l'annonçaient, je risquais d'être bloquée sur place pendant quatre ou cinq jours. On me signa une autorisation de sortie.

Chris me ramena à la maison à l'aube. Ce fut un étrange voyage. Ni l'un ni l'autre, nous ne pouvions prononcer un mot dans ce paysage vide. De toute façon, il n'y avait pas grand-chose à dire. La souffrance était trop aiguë.

Aussitôt rentrée, j'allai me coucher. Le sommeil vint rapidement, car j'étais exténuée. Le lendemain, Chris resta à la maison après avoir exposé la situation à son patron. Pendant que je l'entendais donner ses explications, je me sentais simplement groggy, incapable de pleurer.

Toute la journée, je fus écrasée par un incroyable sentiment de culpabilité. C'était forcément ma faute. Toutes sortes de pensées me traversaient l'esprit. Je n'aurais peut-être pas dû installer Pippa toute seule dans son siège-auto si souvent. J'aurais peut-être dû prendre plus d'exercice, ou moins... J'aurais dû faire attention à ma prise de poids. Je ne cessais de me flageller.

Le lendemain, on m'offrit des fleurs. J'aurais dû les apprécier, mais, en fait, elles ouvrirent la porte des larmes. J'étais furieuse. Comment de simples fleurs pourraient-elles me consoler ? J'avais perdu un enfant, j'avais fait une fausse couche. Je haïssais ce terme. Il me semblait vide de toute émotion.

Avec le recul, je comprends que je devais faire face à une douleur sans précédent. De nombreuses émotions se mêlaient à la peine : la colère, le mépris de soi, et tous les sentiments négatifs accumulés au fil des ans. Soudain, tout me revenait à la figure.

Je restai allongée un jour ou deux, je ne sais plus exactement. Lentement, je commençai à comprendre que je ne pouvais pas continuer ainsi. Je devais aller de l'avant. J'avais deux enfants à éduquer.

Je n'ai jamais pleuré en présence des enfants. J'ai continué à faire ce qu'il fallait parce que c'est ainsi que va la vie. Tous les horribles clichés pointaient leur nez : « Le temps guérit tout », « La vie continue », « Il y a une raison à tout ». Sauf que cela ne me servait à rien ; cela ne m'aidait pas à surmonter mon chagrin.

Il y avait des jours difficiles, qu'on traversait plus ou moins bien. Parfois, j'avais le moral, parfois, non.

Comme je n'avais pas encore dépassé la phase de la colère, je fus sujette à des sautes d'humeur pendant quelques semaines. J'étais grincheuse et cassante avec tout le monde : Chris, Fraser, Pippa. Cette épreuve m'avait beaucoup atteinte physiquement aussi. J'étais lessivée, exténuée. J'avais l'impression d'avoir combattu pendant dix rounds contre un poids lourd. J'avais l'air triste, même lorsque je souriais.

Finalement, en laissant passer le temps, je pus mettre les événements en perspective. Pourtant, le chagrin ne me quittait pas. Il fallut un long moment avant que Chris et moi retrouvions un certain équilibre.

Nous avions résisté à la tentation de regarder trop loin en avant, mais on avait discuté de la scolarité des enfants et envisagé de déménager dans une maison plus grande. Il était donc difficile de revenir à notre vie terre à terre, sachant que ces projets devraient être abandonnés, pour toujours sans doute. Je n'avais pas encore quarante ans, mais je devais me montrer réaliste : mes chances d'avoir un autre enfant s'amenuisaient. Ce n'était pas facile à accepter, mais c'était la vérité.

Étrangement, ce ne fut que quelques semaines après la fausse couche que je compris l'attitude de Billy.

De nouveau, c'était comme une image de dessins animés où une lumière s'allumait dans ma tête.

Bon sang, mais, bien sûr, tous ses comportements bizarres ont totalement cessé ! me dis-je un jour, alors qu'il se roulait comme d'habitude sur le tapis avec Fraser.

Soudain, j'avais additionné deux et deux. Billy avait dû sentir quelque chose. Il n'y avait aucune autre explication.

Pourquoi s'était-il agité comme un fou pendant les trois jours qui avaient précédé la fausse couche ? Il vivait avec nous depuis un an et demi et ne s'était presque jamais intéressé à moi. Pourquoi avait-il soudain changé ?

Cette fois, j'avais bien conscience de pousser mes théories à leurs limites. Même si ce chat était de toute évidence capable de déceler des signes de maladie, ce n'était pas une raison pour lui attribuer des superpouvoirs. J'avais entendu parler de personnes disposant d'un sixième sens, mais, là, les choses allaient bien au-delà. Deviner une fausse couche, cela tenait du seizième sens ! Encore très fragile sur le plan émotionnel, je ne fis part de mes réflexions à personne, pas même à Chris, de peur qu'on me prenne pour une folle.

La bonne nouvelle, c'est que Pippa et Fraser m'occupaient largement. Avec l'arrivée et la fin du printemps, il y avait énormément à faire et beaucoup de décisions à prendre. La plus grande concernait l'avenir de Fraser à l'école.

Il avait fêté ses cinq ans en mars 2013 ; nous l'avions donc inscrit à la grande école pour le mois d'août. C'est le genre de décision qui torture les parents des grandes villes. Mon enfant sera-t-il accepté dans la meilleure école ? Réussirai-je à l'inscrire quelque part ?

Par chance, nous n'avions pas les mêmes inquiétudes. Il n'y avait aucune chance qu'une école soit surchargée, bien au contraire, en fait.

Dans les Highlands, de nombreuses classes rurales fermaient, faute d'enfants. Étant donné les récents progrès de Fraser, la perspective d'être obligés de le mettre dans une école spécialisée s'était éloignée à tel point que toutes les écoles normales seraient tenues, selon la loi écossaise, de l'accepter. Le choix se limitait donc à deux possibilités : Ballater ou Crathie.

Chris et moi avions déjà choisi. En fait, si cela n'avait tenu qu'à nous, nous l'aurions déjà mis à Crathie à plein temps, mais tout le monde ne partageait pas notre avis.

Lors des démarches d'inscription, j'eus un entretien avec le nouveau psychologue scolaire de Fraser. Il eut lieu à Ballater, en présence de l'institutrice de la maternelle. Le psychologue dit qu'il était très content de constater les progrès de Fraser, et en particulier son adaptation à la vie sociale.

Au fil de la rencontre, je compris que tous deux étaient déterminés à ce qu'il poursuive sa scolarité à Ballater. D'après eux, les classes plus nombreuses lui offriraient plus de stimulations et développeraient ses aptitudes sociales. Tandis que chacun d'eux m'expliquait son raisonnement, je sentais qu'ils comptaient sur moi.

Je ne suis pas facilement manipulable, surtout lorsque je ne suis pas d'accord avec une décision, si bien que je campai sur mes positions. Je commençai même à voir rouge et à m'emporter.

Je ne me souviens pas des mots exacts, mais j'ai dû leur dire quelque chose comme « Je suis la mère de Fraser, et je suis la mieux placée pour savoir ce qui lui convient. Il ira à Crathie à la rentrée. Fin de l'histoire ».

Cette rencontre me mit en furie. Chris sembla un peu gêné lorsque je lui racontai ce qui s'était passé. Il me connaissait, moi et mon mauvais caractère.

Ce soir-là, je ne cessai de me repasser le film de la rencontre, me demandant si je ne m'étais pas montrée trop opiniâtre. L'éternelle angoissée que j'étais se demandait si je n'avais pas compromis mes chances et surtout celles de Fraser. Avais-je dépassé les bornes ? M'avait-on pris pour une mère acariâtre ? Étais-je encore vulnérable après ma fausse couche ? La culpabilité commença à me titiller, sans me ronger toutefois. Je ne pouvais pas me le permettre.

Depuis août 2009, j'avais accompli un sacré chemin avec Fraser. À l'époque, on m'avait affirmé qu'il ne serait jamais capable de suivre une scolarité normale. À présent, grâce au travail que Chris et moi avions accompli et à l'aide de gens merveilleux, j'étais capable d'aller beaucoup plus loin que ce que nous estimions envisageable deux ans plus tôt.

Il était temps de songer à l'avenir. Je devais repousser dans un coin la tristesse du début de l'année. Je devais songer à la rentrée de Fraser à la grande école. On posta le bulletin d'inscription pour Crathie.

18

Va-t'en !

Par une belle après-midi de juillet, je pendais la lessive dans le jardin lorsque j'entendis Fraser bavarder joyeusement.

Je ne saisissais pas tous les mots, mais je compris qu'il récitait une des histoires qu'il aimait qu'on lui lise au coucher, *My Chunky Friend*, qui racontait les péripéties d'un énorme orang-outan.

Je passai la tête de l'autre côté du linge et vis qu'il était assis à côté de Billy sur le petit chemin de sable.

Fraser avait tiré le paillasson du perron jusque-là et tenait le livre ouvert sur ses genoux. Billy se prélassait au soleil à côté de lui en remuant la queue.

Je les observai un moment pendant que Fraser continuait à lire tout en regardant Billy ou en le grondant gentiment.

— Arrête ! Arrête de remuer la queue ! disait-il avant de reprendre sa lecture. Elle te plaît, mon histoire, Billy ?

Je ne pouvais m'empêcher de sourire.

Fraser ne savait pas vraiment lire, mais il adorait les livres. Je suppose qu'ils satisfaisaient son besoin d'ordre. Ils avaient un commencement, un milieu et une fin.

Cet amour des livres était largement dû à Chris, qui lui faisait la lecture tous les soirs depuis qu'il avait deux ou trois ans. Fraser aimait beaucoup avoir son père à côté de lui, et peu lui importait qu'on lui raconte la même histoire soir après soir. En fait, il préférait même ainsi. Fraser ne se lassait jamais.

Il était difficile sur le choix de livres, néanmoins. Il n'aimait pas les histoires trop bavardes et préférait les récits rimés. Il aimait les textes de Nick Sharratt et des livres comme *Don't Put Your Finger in the Jelly, Nelly* et, son préféré, *Chocolate Mousse for Greedy Goose*.

Il riait comme une baleine chaque fois qu'il entendait cette histoire. Il aimait les allitérations et répétait sans cesse des phrases comme « Moins fort la télévision, toni-true le toucan ». Il mémorisait ses histoires préférées et les répétait comme un perroquet. Il était prêt à les réciter à tous ceux qui avaient la patience de l'écouter.

Depuis deux ans, Billy restait souvent près de lui, comme s'il écoutait l'histoire, lui aussi. C'était extraordinaire, en fait, car, lorsque Chris lisait, Billy ne s'en allait jamais.

En revanche, que Fraser fasse la lecture à Billy était nouveau. Cela ne pouvait pas mieux tomber, car Fraser allait bientôt devoir apprendre à lire lorsqu'il commencerait l'école quelques semaines plus tard.

Bien entendu, c'était le genre de choses que j'aurais dû évoquer avec le psychologue scolaire. Tout le monde sait que les enfants apprennent beaucoup en mémorisant les images ou les mots qu'ils voient. Ils tirent de nombreuses informations de la forme et de la longueur des mots et du nombre de mots sur la page. Cette nouvelle attitude était un élément très positif. De nouveau, je décidai de ne pas en parler. On m'aurait pris pour une maboule à m'imaginer que mon fils apprenait à lire en racontant à son chat les histoires qu'il mémorisait. Peu m'importait, je savais que c'était constructif et c'était la seule chose qui comptait. C'était un pas en avant, cela prouvait que Fraser était prêt à sauter le pas et que, peut-être, peut-être seulement, il s'épanouirait à la grande école.

Nous n'avions plus que quelques semaines à attendre.

On essayait de jouer la rentrée en douceur et de ne pas en faire trop de cas. J'avais commandé son uniforme officiel à la fin juin. Il était constitué d'un simple polo, d'un sweat-shirt et d'une polaire au logo de l'école, mais ce fut un joyeux moment lorsqu'il arriva et que je demandai à Fraser de l'essayer. Il avait l'air d'un vrai petit garçon très intelligent.

Bien sûr, avec Fraser, on ne pouvait éviter les problèmes, avec le pantalon, en particulier. Il en avait essayé un et s'était plaint qu'il le grattait et lui donnait l'impression d'avoir les jambes en feu. Je dus donc trouver une autre solution.

Même si Crathie n'était pas très stricte sur l'habillement, je ne voulais pas qu'il porte quelque chose de trop différent de l'uniforme de l'école, car il se ferait déjà assez remarquer sans cela.

Mon projet à long terme consistait à l'habituer peu à peu à ce pantalon, mais, dans l'entre-temps, je m'étais lancée dans une expédition shopping en profitant d'un passage dans l'Essex. Avec ma mère, j'avais passé toute une journée dans le centre commercial en bord de lac et j'avais l'impression d'avoir fait toutes les boutiques avant de tomber sur la perle rare : un pantalon large, doublé d'un tissu très doux.

Dans notre stratégie consistant à éviter les drames, Chris et moi n'avions que peu parlé de l'école pendant les vacances d'été. De manière inévitable cependant, puisque l'école se trouvait tout près de chez nous et était visible de la route qui menait à Ballater et au-delà, elle n'était jamais loin des pensées de Fraser.

Comme prévu, il passait de l'excitation à l'angoisse. Souvent, il commençait la journée en demandant « Est-ce que je vais à l'école aujourd'hui ? » ou « Qu'est-ce que je vais faire à l'école aujourd'hui ? »

Il se mettait à battre des bras ou à se balancer sur les talons, les mains dans le dos. À d'autres moments, il déroulait une liste de questions, une expression inquiète sur le visage :

— À quelle heure Fraser ira à l'école ?

— À neuf heures moins le quart le matin, Fraser.

— À quelle heure Fraser finira ?

— À trois heures de l'après-midi.

— La récréation dure combien de temps ? La cloche, elle sonne ?

Cela pouvait continuer ainsi pendant des heures.

Étant donné les problèmes éprouvés lorsque Fraser avait commencé à Ballater, nous redoutions un autre retour en arrière. Nous venions tout juste de nous remettre de la manière dont il avait réagi en changeant de maternelle l'année précédente. Ni Chris ni moi n'avions envie de revivre le même cauchemar. À l'approche du mois d'août, la rentrée était en ligne de mire. Je commençai à élaborer des plans pour sa première journée à l'école au milieu du mois. J'aurais dû bien retenir la leçon des années précédentes, car il se produisit un événement totalement inimaginable : Fraser n'aimait plus Billy !

L'un des grands avantages de l'ancienne maternelle privée, c'était qu'elle restait ouverte durant tout l'été.

L'école publique, elle, fermait pour six semaines, ce qui signifiait que je devais garder Fraser à la maison pendant tout ce temps. Après avoir passé un mois avec Fraser à la maison, vingt-quatre heures sur vingt-quatre, sept jours sur sept, je commençais à être épuisée, et la maman de Chris avait proposé de le prendre une semaine pour me soulager. Elle l'adorait et avait l'habitude, grâce à son métier, de s'occuper de gens manifestant des besoins particuliers, si bien que j'étais plus qu'heureuse de lui passer le relais et d'emmener Fraser sur la côte.

Il y était déjà allé à plusieurs reprises, bien sûr, mais seulement pour quelques jours d'affilée. Je ne savais pas comment il accepterait cette longue semaine et, comme je m'en doutais, ce fut un succès mitigé.

Fraser aimait beaucoup rester chez sa grand-mère, qui lui accordait toujours beaucoup d'attention. Ainsi, tout se passa à merveille pendant les deux premiers jours. Ensuite, avec son compagnon, elle décida de l'emmener en excursion pour la journée. Ce fut le moment où la situation bascula. Chris et moi, nous avions renoncé aux escapades de toute une journée.

Cela soulevait toujours trop de problèmes. Fraser ne pouvait pas aller aux toilettes à cause du bruit des ventilateurs. Restaurants et cafés étaient des zones d'exclusion à cause des divers percolateurs, broyeurs à glace et autres micro-ondes. Sans compter la myriade de problèmes inattendus qui rendaient la vie exténuante. Néanmoins, la maman de Chris était bien déterminée à tenter l'aventure et avait prévu un voyage à Aviemore, dans les Grampians.

Il faut le reconnaître, elle avait magnifiquement préparé l'itinéraire. Fraser devait prendre un train à vapeur, puis le funiculaire qui grimpait à flanc de montagne pour terminer par la visite du parc naturel qui hébergeait des rennes. Pourtant, dès l'arrivée à Aviemore, Fraser piqua une crise, et ils durent faire demi-tour. Lorsqu'ils retrouvèrent la côte, ils avaient conduit pendant quatre heures et demie sans quitter la voiture et avaient dû se contenter de manger un sandwich.

La maman de Chris était bouleversée et déçue, mais je ne savais guère quoi lui dire. Si nous avions beaucoup avancé avec Fraser, nous avions été incapables de changer certains aspects de sa vie (qui ne changeraient peut-être jamais). On nous avait prévenus que certains de ses comportements se prolongeraient jusqu'à l'adolescence, moment auquel tout pourrait arriver.

Pour être honnête, cette perspective me terrifiait. L'idée de voir un Fraser d'un mètre quatre-vingts brailler comme un goret m'était insupportable. Je la chassais de mon esprit dès que j'y pensais.

Lorsqu'il revint de chez sa grand-mère, Fraser se montra grincheux, de mauvaise humeur et fort peu coopératif.

— Fraser veut pas, se mit-il à dire chaque fois qu'il n'avait pas envie de faire quelque chose.

Ces protestations n'avaient rien de neuf, bien entendu, mais, soudain, elles revêtaient une nouvelle violence. C'était un peu comme s'il avait découvert une manière plus mature de manifester sa rage. Il se montrait également fort désagréable avec Pippa.

On considéra l'incident comme mineur, une crise inexplicable, mais brève, que Fraser traversait de temps en temps. Pourtant, ce fut bientôt l'escalade. Une horrible escalade. Soudain, Billy devint l'objet de tous ses ressentiments.

Un après-midi, je remarquai que Billy n'était pas sur le tapis avec Fraser pendant qu'il regardait la télévision.

— Fraser, où est Billy ?

— Fraser aime plus Billy, dit-il sur un ton indifférent.

J'étais alarmée.

— Pourquoi tu n'aimes plus Billy ?

— Fraser l'aime plus, c'est tout.

Je me demandais si c'était dû à leur semaine de séparation. Pourtant, cela n'avait aucun sens. Ils avaient déjà été séparés auparavant et, en général, les retrouvailles les rapprochaient encore. Loin des yeux, près du cœur...

Il était plus plausible que Fraser soit en colère contre son chat.

Pendant l'été, Billy avait commencé à sauter par-dessus la palissade et à jouer avec les deux enfants d'à côté, deux fillettes de dix-huit mois et cinq ans.

J'avais remarqué que Fraser se montrait souvent distant et froid lorsque Billy revenait, mais je n'avais pas pris l'affaire au sérieux.

Néanmoins, un jour ou deux après cet éclat, je compris que le problème était grave. Fraser se trouvait dans l'abri que nous avions fabriqué, lorsqu'une balle arriva du jardin d'à côté.

— On peut avoir la balle ? demanda la plus grande qui passa la tête par-dessus la palissade.

Fraser ne leva même pas le nez, ce que je trouvai très impoli.

— Bien sûr, tiens, la voilà.

Lorsque je lançai la balle, Billy sauta lui aussi par-dessus la palissade.

— Tu viens jouer avec nous, Billy ? demanda la petite fille.

Le regard de Fraser en dit long. C'était un peu comme si on lui avait dit que la petite souris ou les lave-linge n'existaient pas !

Comme il savait que je comprenais parfaitement la situation, il me regarda.

— M'en fiche. Il a qu'à aller vivre à côté, dit-il d'un ton emporté avant de replonger dans sa bouderie et de fermer la porte en plastique derrière lui avec toute la force dont il était capable.

Ce scénario se poursuivit pendant cinq jours. Cinq jours d'humeur épouvantable.

J'étais prise de panique. Cela n'aurait pu se passer à un plus mauvais moment : à moins d'une semaine de son entrée à l'école à plein temps. Nous nous efforcions de maintenir un climat aussi serein que possible, et Billy tenait un rôle central. En fait, il restait notre principal remède contre les revers que nous ne manquerions pas de subir dans les semaines à venir.

Si Fraser et Billy n'étaient plus amis, cela marquait le début de nos ennuis. Déjà, Fraser s'en trouvait déstabilisé, et, lorsqu'il serait à l'école, les problèmes seraient multipliés au centuple.

C'était déprimant. De nouveau, j'avais l'impression d'être folle, de m'inquiéter ainsi de la relation de mon fils avec son chat. Instinctivement, je comprenais que cette mauvaise nouvelle me plongeait dans le désarroi surtout parce que je ne savais pas comment réagir. Comment expliquer à un chat et un enfant autiste qu'ils doivent se réconcilier ? J'avais lu beaucoup de livres, mais j'étais certaine de n'avoir jamais vu la moindre ligne à ce sujet.

Un soir, on en arriva au point de rupture. Fraser regardait la télévision lorsque Billy vint s'installer à côté de lui, sur le tapis. C'était une habitude à laquelle il se pliait presque tous les jours lorsque Billy rentrait de sa promenade. L'heure de la télévision, c'était l'heure de Fraser et Billy. Pas cette fois.

Je lisais le journal en buvant une tasse de thé pendant que le dîner cuisait tranquillement.

— Va-t'en ! s'écria Fraser en chassant le chat d'un geste de la main.

Comme Billy ne bougea pas, Fraser haussa le ton.

— Billy, va-t'en ! répéta-t-il.

De nouveau, Billy ne réagit pas. Fraser recula et plaça sa tête à quelques centimètres de celle de Billy avant de hurler de toute la force de ses poumons :

— Va-t'en !

Billy sursauta. C'était bien naturel. Il prit ses jambes à son cou et disparut par la chatière.

— Fraser, dis-je, choquée par la virulence de sa réaction. Qu'est-ce que Billy t'a fait ?

Il me regarda d'un air colérique avant de se boucher les oreilles et de s'allonger par terre.

Chris était aussi bouleversé que moi lorsque je lui racontai ce qui s'était passé.

— Je vais lui parler, dit-il.

— Bonne idée. Toi, il t'écoute.

Chris est l'un de ces pères autoritaires qui n'élèvent jamais la voix. Mais, lorsqu'il dit quelque chose, il ne plaisante pas, et Fraser le savait.

Ce soir-là, après le bain, avant qu'il lise une histoire à Fraser, Chris alla dans sa chambre et lui expliqua la situation. Lorsqu'il eut terminé, Fraser descendit, les yeux rouges.

— Papa est méchant avec moi, me dit-il.

— Non, Fraser. Papa essaye simplement de t'aider, dis-je, faisant preuve de la solidarité indispensable entre parents en cas de crise.

Chris descendit quelques minutes plus tard.

— Qu'est-ce que tu lui as dit ?

— Je lui ai dit que Billy n'était pas un chat comme les autres, qu'il l'aimait beaucoup et que, si Fraser continuait à lui faire la tête et à être méchant avec lui, cela lui ferait de la peine, à Billy, et il ne serait plus son ami.

— Comment il l'a pris ?

— Il n'a pas dit grand-chose. Alors, je lui ai expliqué que cela ne lui ferait pas plaisir si Billy lui faisait la même chose. C'est là qu'il a commencé à pleurer.

— Bon, je crois que tu as fait passer le message. C'est à lui de voir, à présent. On ne peut pas le forcer à aimer Billy.

— Le moment n'aurait pas pu être plus mal choisi ! s'exclama Chris. Il aura des problèmes quand il commencera l'école. On va encore se payer des heures et des heures de hurlements, j'imagine.

Au dîner, nous avons regardé tous les deux nos assiettes, nous demandant comment allait évoluer la situation. Nous n'avons pas eu longtemps à attendre.

Le lendemain matin, Fraser semblait impatient de voir Billy.

— Où est Billy ? demanda-t-il inlassablement au petit-déjeuner.

Chris me lança un regard qui n'avait pas besoin d'interprétation. Il pensait la même chose que moi : Fraser avait peu envie d'embrasser son ami et de se réconcilier. Malheureusement, j'avais l'impression qu'il avait raté sa chance. J'avais entendu la chatière avant même que nous ayons posé le pied par terre, et Billy ne semblait être ni dans la maison ni dans le jardin, ce qui était inhabituel. Cela faisait un moment qu'il n'avait pas manqué un petit-déjeuner avec Fraser.

— Je ne sais pas, Fraser. Il est peut-être déjà parti jouer.

— Humm…, dit Fraser, déçu.

Chris me fit un clin d'œil. Son message était vraiment bien passé.

— Ils seront à nouveau les meilleurs amis du monde à l'heure du goûter, dit-il tranquillement en me donnant un baiser sur la joue avant d'aller travailler.

Fraser devait aller au jardin d'enfants à Crathie, ce matin-là, et il ne revint qu'à midi. Billy n'était toujours pas réapparu, ce qui le mit de mauvaise humeur.

— Toujours pas de signe de Billy ? demanda Chris, qui était revenu déjeuner.

— Aucun.

— Mon Dieu, tu ne crois pas qu'il s'est sauvé ?

— J'ai dit qu'il s'en irait si Fraser continuait à lui faire la tête, mais je n'y croyais pas vraiment.

C'était un étrange renversement de situation. En général, j'étais la première à appuyer sur le bouton de panique. Je pense que Chris se sentait coupable d'avoir sérieusement admonesté Fraser, la veille.

— Mais non, il lui est arrivé de partir bien plus longtemps que ça. Il est sûrement en train de s'en prendre à une pauvre bête dans les bois.

— Je l'espère.

En fin d'après-midi, j'étais à la cuisine à préparer le goûter des enfants lorsque j'entendis la voix de Fraser venant de la buanderie.

— Maman, maman, Billy est malade !

Soulagée que Billy soit revenu, j'étais inquiète, car la voix de Fraser semblait bizarre.

— Comment sais-tu qu'il est malade ?

— Il est tout sale !

— Comment ça, tout sale ? dis-je en passant la tête par la porte pour voir ce qui se passait.

Je fus choquée par le spectacle qui m'attendait.

On aurait dit que Billy s'était roulé dans un tas de charbon. Il était couvert de suie ou de terre, je ne savais pas très bien. De plus, il semblait désemparé et tremblant. Il chancelait sur ses pattes.

J'appelai le vétérinaire aussitôt. Avec la reine qui devait arriver dans quelques semaines, Chris était déjà très occupé au domaine et ne voulait pas être dérangé. Si nécessaire, donc, j'emmènerais Billy chez le vétérinaire, avec les enfants à l'arrière.

De nouveau, des milliers de pensées irrationnelles me traversèrent l'esprit. *Et si Billy était vraiment très malade ? Et si jamais – mon Dieu, pourvu que ça n'arrive pas – il mourait ? Comment réagirait Fraser ?* Par chance, au téléphone, le vétérinaire se montra rassurant. Il me ramena vite à la réalité et me demanda de pratiquer quelques examens sommaires.

— Cela m'aidera à savoir si c'est une urgence.

Tout d'abord, je devais vérifier qu'il n'y avait pas de blessures sur les pattes, ni saignements ni douleur. Je caressai gentiment les pattes et n'obtins aucune réaction, ce qui était rassurant. Quand je lui touchai la tête, cependant, ce fut tout autre chose. Il poussa un affreux miaulement. Je discernai une petite coupure.

— Il faudra nettoyer tout cela, mais cela n'a pas l'air très grave, dit le vétérinaire lorsque je lui décrivis la blessure. Bon, à présent, regardez bien les yeux, les oreilles, et la gorge.

Je ne vis rien d'anormal.

— Comment respire-t-il ? Est-ce qu'il tousse, crache ou siffle ?

— Non, rien de tout cela.

— Il a dû tomber dans une réserve à charbon ou se

faire enfermer dans un abri de bois, et une bûche lui sera tombée sur la tête.

— Alors, il s'en tirera ?

— Oui, oui, il survivra, madame Booth. Mais je vous conseillerais de me l'amener demain pour que je l'examine, à moins que les choses s'aggravent. Dans ce cas, venez immédiatement.

En raccrochant, je poussai un soupir de soulagement. Je pris un antiseptique et me dirigeai vers la buanderie pour nettoyer Billy.

Fraser était resté à côté de moi pendant toute la conversation avec le vétérinaire. Je ne sais pas si c'est à cause de cela ou parce qu'il avait retrouvé Billy malade, mais, soudain, il éclata en sanglots. Il pleurait de manière incontrôlable. Il avait déjà vu Billy patraque, mais, cette fois, il était vraiment perturbé.

— Allez, ne pleure pas, Fraser. Viens, on va faire coucou à Billy, dis-je en le prenant dans mes bras.

En boitillant, Billy s'était réfugié dans un coin, près de la machine à laver. Fraser s'approcha.

— Tout va bien, Billy. Tu vas voir, ça ira, dit-il en s'accroupissant près de lui.

Il semblait vraiment inquiet.

Fraser resta assis un instant, à caresser son ami, approchant sa tête de lui, comme pour capter son regard.

— Fraser aime Billy, dit-il, alors qu'ils se frottaient le nez. Fraser aime Billy.

Je nettoyai soigneusement la blessure et emmenai Billy dans la cuisine, afin de pouvoir le surveiller de près pendant la soirée.

Fraser resta avec moi et manqua même la diffusion de *Tom et Jerry*. Il ne quitta pas Billy avant d'aller se coucher et insista pour qu'il dorme dans sa chambre. Chris porta gentiment le chat et l'installa sur le sol pour éviter que Fraser ne lui donne un coup de pied pendant la nuit.

Pendant que Billy se remettait, les deux copains restaient collés l'un à l'autre comme des sangsues, du matin au soir. D'une certaine manière, cela facilita grandement le compte à rebours avant l'entrée à la « grande école ». Fraser n'avait plus le temps de s'inquiéter à propos de la cloche, de son uniforme ou de son voisin de classe. Seul Billy comptait pour lui.

Pendant un moment, Chris et moi avons essayé de comprendre ce qui avait causé la rupture momentanée. Fraser était-il simplement jaloux parce que Billy jouait avec les petites voisines ? Peut-être était-il simplement anxieux des changements qui l'attendaient et s'était défoulé sur son meilleur ami ? Quoi qu'il en soit, cela lui servit de leçon. Il ne s'est plus jamais fâché contre Billy.

19

La grande école

Nous étions à la veille de la rentrée, et toute la maison bourdonnait d'activités. Je repassai et suspendis l'uniforme et les vêtements de sport, afin que tout soit prêt le lendemain matin. Chris s'occupa de la voiture qui faisait un drôle de bruit. Nous ne voulions pas risquer la moindre anicroche.

Mes parents, arrivés quelques jours plus tôt, s'occupèrent de Fraser et Pippa.

Ce moment avait une importance cruciale pour Fraser, et ils avaient voulu être présents pour le partager avec nous.

Pour l'instant, nous avions réussi à ne pas donner trop d'importance à l'événement.

Le soir, au dîner, Fraser était néanmoins très excité, d'autant plus que ses grands-parents d'Angleterre étaient là.

— Fraser va à la grande école demain, papy, disait-il.

— Je sais. Je me demande ce que tu vas y faire.

— Lire, dit-il. Et compter.

Nous étions heureux de le voir à l'aise dans ces deux domaines. Il aimait vraiment beaucoup les livres et, ces derniers mois, tout le monde nous avait dit à quel point il était intelligent. C'était son comportement en société qui nous inquiétait le plus.

Il connaissait un ou deux des enfants les plus âgés qui allaient à Crathie, mais ne s'était jamais lié avec eux lors des rares occasions où il les avait rencontrés.

La bonne nouvelle, c'était qu'il connaissait deux enfants du « groupe des petits », qui montaient avec lui à l'école primaire. Il n'avait jamais rien dit de négatif sur eux, ce qui, dans le monde de Fraser, était positif.

Il alla se coucher tout joyeux, bien que, puisque mes parents avaient pris sa chambre, il dût dormir dans celle de Pippa. Comme d'habitude, Billy était là pour nous aider en cas de problème.

Le lendemain matin, avec Chris, je me levai follement tôt. Une belle journée d'été pointait déjà, et, à l'exception de Pippa qui dormait innocemment, tout le monde était excité lorsque j'entrai dans la chambre pour réveiller Fraser.

Maman et papa se préparant dans sa chambre, je l'emmenai dans la nôtre pour l'habiller. Un peu craintif malgré tout, il semblait aller assez bien, d'autant plus que Billy vint nous rejoindre.

Ce jour-là, plus que jamais, le rituel du petit-déjeuner serait primordial. Chris avait coupé les toasts en quatre triangles identiques et placé le yaourt et le porridge à leur place.

Je pris une tasse de thé pendant que Fraser s'installait. Bientôt, maman et papa nous rejoignirent à la cuisine.

Nous avions déniché un sac à dos que Fraser pourrait porter facilement et, à huit heures et demie, on se dirigea vers la voiture. On prit une photo devant la maison avant de faire les deux minutes de trajet pour traverser le pont de Balmoral et aller à Crathie. Les deux autres nouveaux étaient accompagnés de leurs parents, qui avaient l'air au bord des larmes. Pas moi.

Tandis que Fraser montait l'escalier, j'étais bien décidée à profiter de chaque seconde d'un moment que nous avions longtemps cru impossible. De temps en temps, ce matin-là, je repensai à cette terrible journée à Aberdeen, où les spécialistes n'avaient pas tourné autour du pot. « Fraser n'ira *jamais* dans une école normale », m'avait-on affirmé. Pourtant, nous y étions.

En retournant vers la voiture, où maman, papa et Pippa m'attendaient après avoir fait un signe d'au revoir, je n'avais toujours pas la moindre envie de pleurer. Je ne me sentais pas amère, pas même triomphante. J'étais heureuse et fière. Vraiment très fière.

Ce premier jour ne serait qu'une demi-journée, si bien que nous avions trois heures à tuer avant de revenir chercher Fraser. Plutôt qu'aller à Ballater, on prit le chemin opposé, vers Braemar, où il y avait un charmant terrain de jeux pour Pippa.

Mes parents apprécièrent cette détente autant que moi. Pendant que je poussais la balançoire, mes parents avaient fait un tour en tyrolienne, comme s'ils avaient sept ans et non soixante-dix. C'était bon signe. Cela montrait à quel point nous avions tous le cœur léger.

On s'arrêta dans un café, où on ne put s'empêcher d'évoquer le passé.

— Par moments, on pensait que tu n'arriverais jamais jusque-là, dit ma mère.

— Je sais.

— Avec la manière dont il se conduisait bébé, on avait

peur que tu sois obligée de le mettre dans une institution, dit mon père.

— Je sais. Moi aussi, j'en avais peur.

Pendant un instant, chacun resta perdu dans ses pensées. Puis, maman posa sa main sur la mienne.

— On voulait te dire que Chris a été formidable. Fraser n'aurait pas pu rêver meilleurs parents.

À cet instant-là, les vannes s'ouvrirent et toutes les émotions contenues ces derniers jours, ces dernières semaines, ces derniers mois, ces dernières années refirent surface. C'en était même gênant.

Maman me prêta un mouchoir, et je me mis à hoqueter, comme une stupide collégienne.

— Je suis désolée. Je suppose que cela devait arriver un jour.

On retourna à Balmoral pour que je puisse m'occuper du déjeuner de Pippa. Après le repas, je préparai une machine, et il était l'heure d'aller chercher Fraser. Papa se proposa de rester avec Pippa, qui faisait la sieste, et maman m'accompagna à Crathie.

L'après-midi était somptueuse. En l'attendant sous le soleil éclatant, on observa un immense rapace qui planait au-dessus du fleuve avant de disparaître dans la sombre forêt, sur l'autre rive. C'était incroyable de penser que j'avais considéré cet endroit comme un enfer et non un paradis. Notre arrivée dans le pavillon isolé des bois me semblait appartenir à une autre vie.

Fraser sortit, sourire aux lèvres et, heureusement, sans se rendre compte de ma nervosité. En fait, il ne faisait que peu attention à nous. Point final.

— Comment ça s'est passé ?

— Bien.

— Qui était assis à côté de toi ?

— Je sais plus.

— Qu'est-ce que tu as appris ?

— Je sais plus.

J'échangeai un sourire avec ma mère. Je devais sans doute m'exprimer par monosyllabes, moi aussi, la première fois qu'elle était venue me chercher à l'école.

Le trajet du retour ne prit que quelques minutes, et je n'eus pas le temps de lui parler en route. En me garant devant la maison, je vis tout espoir de discussion s'évanouir pour une bonne heure. Billy attendait sur le perron.

— Billy ! Billy !

Un instant plus tard, ils étaient allongés sur le tapis, perdus dans leur propre monde.

— J'ai mis la bouilloire sur le feu. Je vous fais une tasse de thé ? proposa papa qui sortait de la cuisine.

— Volontiers.

J'entendais une voix qui se mêlait au bruit du bouillonnement.

D'un ton animé, Fraser parlait à Billy. Je réussis à capter des bribes de leur conversation.

— Fraser est à côté de Zara, dit-il avant de laisser retomber sa voix. La maîtresse a lu une histoire.

C'était charmant, mais un peu frustrant. J'avais envie d'en savoir plus.

— Papa, s'il te plaît, tu pourrais enlever la bouilloire un instant ?

Il hocha la tête.

Tandis que le son de la bouilloire diminuait et que la voix de Fraser passait au premier plan, on s'avança sur la pointe des pieds et on passa la tête par la porte du salon.

Notre tentative d'espionnage maladroite tourna court. En repérant les intrus, Fraser s'approcha un peu de Billy et nous adressa un regard de reproche.

— Chut, Fraser parle à Billy.

On se mit à rire et on retourna à la cuisine.

Fraser s'adapta admirablement à la grande école. Même lorsque la sieste prit fin et que la journée s'étira de huit heures quarante-cinq à deux heures cinquante-cinq, il supporta ce nouveau rythme.

Nous avions peur que cela pose problème de lui confier des tâches spécifiques, mais les institutrices ne s'en plaignirent pas. En fait, tout le monde me disait qu'il progressait vite.

Ses premiers résultats concrets, au bout d'un mois, furent époustouflants.

— Il est très vif, il apprend à lire très vite, me dit une institutrice. C'est une joie de l'avoir avec nous, à dire vrai.

Ce furent ses capacités d'adaptation sociale qui nous enthousiasmèrent. Presque immédiatement, il se lia d'amitié avec d'autres enfants, dont il connaissait certains depuis le jardin d'enfants, et se mit à jouer avec eux. Peut-être était-ce parce qu'il avait une petite sœur, mais il semblait préférer, au début du moins, la compagnie des filles et aimait particulièrement celles d'un couple d'amis, Phoebe et Isabel.

Il commença même à aller chez elles, bien qu'il me semblât s'intéresser surtout à leur splendide lave-linge qui le fascinait. Cette manie n'allait pas disparaître par un coup de baguette magique !

Le fait le plus significatif se produisit une dizaine de semaines après la rentrée, au début de novembre.

Lentement, il commençait à se lier avec les garçons. Comme ils n'étaient que cinq, ce n'était pas difficile de faire leur connaissance. Ils avaient des âges divers, Fraser étant le plus jeune et l'aîné ayant dix ans.

L'un d'eux les invita à son anniversaire, un jour, après la classe, et Fraser manifesta son envie d'y aller, ce qui nous ravit, Chris et moi. Il n'était jamais allé à aucune fête chez des amis, car cela l'angoissait trop. Cette fois, il voulait même s'habiller pour l'occasion !

Le jour dit, il rentra de l'école plus excité que jamais. Il était trop survolté pour prendre le temps de bavarder avec Billy.

— Je n'ai pas le temps de te parler ! Il faut que je me change pour l'anniversaire.

Lorsque je lui proposai de l'aider, il me signifia, en termes dépourvus d'ambiguïté, qu'il n'avait pas besoin de moi.

— Je fais tout seul.

Je le conduisis chez son ami, m'attendant à passer une heure et demie à le surveiller de loin, mais, une fois arrivé devant le portail, il déclara qu'il n'avait pas besoin de moi et qu'il pouvait y aller seul. Je retournai à la maison pour une heure en riant intérieurement.

— On dirait qu'on fait double emploi, tous les deux, dis-je à Billy qui profitait de ce répit pour faire la sieste dans la buanderie.

Lorsque j'allai chercher Fraser, il rayonnait. Visiblement, il avait passé un bon moment. J'en restai bouche bée... et j'étais aux anges.

Chris eut du mal à me croire lorsque je lui racontai la soirée.

On commença à élaborer des plans pour le sixième anniversaire de Fraser, au mois de mars. L'idée d'organiser une fête pour une « bande de copains » aurait été impensable ne serait-ce qu'un an plus tôt.

Une semaine plus tard, il nous étonna encore. Je le préparais pour l'école à la mi-novembre, quand quelqu'un frappa à la porte. En ouvrant, je tombai sur le chauffeur du car scolaire, garé devant chez nous.

— Bonjour, je viens chercher Fraser Booth, dit-il en souriant.

Je n'en revenais pas. J'avais prévu d'envoyer Fraser en bus à partir de janvier, mais il avait dû y avoir une mauvaise information quelque part dans le circuit.

— Oh ! je ne sais pas s'il voudra venir avec vous aujourd'hui. Attendez un instant.

On avait préparé Fraser pour ce changement, mais il arrivait bien plus tôt que prévu.

— Fraser, tu veux aller à l'école en autobus, aujourd'hui ? demandai-je, méfiante, pour le moins.

Il avança d'un pas, aperçut un de ses camarades, ce qui le réjouit, mais Billy était là, lui aussi, et attendait. Avait-il réagi à l'arrivée du bus et avait-il dévalé l'escalier pour accompagner Fraser ? Quoi qu'il en soit, il était planté près du portail ouvert, comme pour encourager Fraser.

Fraser portait son uniforme et avait son sac à dos.

— D'accord, dit Fraser en se dirigeant vers le bus.

Aussitôt, Billy se percha sur la palissade.

En montant les marches, Fraser dit au chauffeur :

— C'est mon chat, Billy.

C'était fascinant. Un an plus tôt, une telle situation aurait provoqué une crise extrême. Maintenant, il s'adaptait au changement !

On constata aussi de nombreuses évolutions dans son langage et son niveau de confiance en lui. Il commençait par exemple à utiliser le « je » au lieu de parler de lui à la troisième personne. C'était une avancée significative, car cela signifiait qu'il prenait conscience de son existence. Il évoqua même l'idée de partir en vacances après avoir entendu un de ses camarades parler d'un séjour dans un Center Parc.

— On pourra y aller, maman ?

— Oui, pourquoi pas ?

Plusieurs projets seraient bousculés avant l'été suivant, nous y étions préparés, cela faisait partie de la vie d'enfant autiste de Fraser. Mais, pendant un instant ou deux, j'avais pu rêver à de véritables vacances en famille.

Aller à l'école à Crathie tous les jours était une joie, non seulement parce que cela fournissait un environnement enrichissant à Fraser, mais aussi parce que cela me permit de nouer des contacts avec des gens qui nous connaissaient bien. Lorsque j'étais arrivée pour la première fois en Écosse, j'avais eu l'impression d'être une étrangère, mais, cinq ans plus tard, je m'y sentais chez moi.

En allant chercher Fraser, une après-midi, je rencontrai une maman dont la fille avait le même âge que mon fils. Ils avaient fréquenté le jardin d'enfants ensemble, si bien qu'elle connaissait les problèmes de Fraser. En général, comme elle travaillait dans la journée, je la croisais rarement.

— Cela faisait longtemps ! Comment s'adapte-t-il ?

— Bien, très bien, même. Il s'y plaît beaucoup.

— Mon Dieu, il en a fait du chemin ! dit-elle en le voyant descendre les marches pour rejoindre la voiture sans m'attendre.

Il faisait beau, et nous avons donc continué à bavarder un moment. Tout content, Fraser s'était installé dans le véhicule.

Cette maman, qui travaillait dans un service de santé, était parfaitement consciente de ce que j'avais traversé et connaissait les gens qui étaient impliqués dans l'histoire de mon fils. Je recevais des éloges de la plupart d'entre eux.

— C'est une sacrée aventure dans laquelle vous êtes embarquée, Louise, me dit-elle en souriant.

— Et nous ne sommes pas au bout de nos peines. Si j'ai appris quelque chose, c'est de ne pas voir trop longtemps à l'avance. Un jour après l'autre !

Elle sourit.

— Et comment va ce merveilleux chat ? J'ai lu un très bel article dans le journal.

— Oh ! Billy. C'est toujours son plus fidèle ami.

— D'après ce que j'ai lu, il est même beaucoup plus que ça.

Bien sûr, elle avait raison.

Lorsque je l'avais rencontrée pour la première fois, quatre ans plus tôt, je traversais une de mes fréquentes périodes de désespoir. Lorsque j'emmenais Fraser au jardin d'enfants, il restait allongé par terre à se taper sur les jambes avec les bras ou à faire tourner indéfiniment les roues d'une petite voiture.

Il passait des jours et des jours dans un coin à ne rien faire, sans communiquer avec personne, à part moi, bien sûr, en utilisant le seul moyen de communication dont il était capable : hurler jusqu'à l'asphyxie. Désormais, c'était un charmant petit garçon amical et chaleureux qui rentrait à la maison après l'école.

Bien entendu, de nombreuses personnes avaient joué un rôle au cours de ces cinq années tumultueuses. Des esprits avisés nous avaient guidés tout le long de cette route rocailleuse. Mais Billy avait joué un rôle primordial, et son apport était incommensurable. Il ne s'était pas contenté d'être un ami, il était devenu ce que Fraser avait ressenti depuis le début : c'était son meilleur ami. Dès le premier soir, il s'était produit quelque chose de magique, de presque surnaturel. Billy était capable de s'introduire dans l'univers personnel de Fraser, dans ce monde que personne d'autre ne pouvait pénétrer. Grâce à lui, cet univers était devenu moins solitaire ; de plus, grâce à Billy, Fraser avait accepté d'en sortir et faisait de plus en plus partie de notre propre monde.

Ce que Billy avait accompli ne tenait pas vraiment du miracle : aider Fraser à se calmer lorsqu'il était anxieux, l'inciter à marcher, à se rendre aux toilettes, à apprendre à lire n'étaient que des petits pas. Ajoutés les uns aux autres, cependant, ils donnaient un petit miracle – à mes yeux, du moins. Pour moi, ce petit chat sauvé in extremis avait sauvé mon fils. Nous n'en serions pas là où nous en sommes aujourd'hui sans lui.

Ce qui rendait les choses plus exceptionnelles encore, c'est que j'étais certaine que Fraser partageait la même impression que moi. Il le disait souvent, à sa manière à lui, bien sûr. Un jour ou deux avant cette conversation devant le portail de l'école, j'arrangeais la chambre de Fraser afin qu'il puisse s'y réinstaller après le départ de mon père et de ma mère dans l'Essex.

Je profitais d'un moment de tranquillité pour trier les papiers accumulés au fil des ans. Ce n'était pas ce qui manquait ! Je possédais d'épais dossiers, remplis de lettres de médecins, d'avis de spécialistes et d'autorités scolaires. Il avait sans doute fallu détruire une petite forêt pour fournir tout le papier généré par Fraser.

En tombant sur le vieux journal qui avait été tenu dans sa première maternelle, je ne pus m'empêcher de m'asseoir sur le bord du lit et de feuilleter les pages qui ne manqueraient pas de réveiller des souvenirs aigres-doux. Certains commentaires m'arrachaient un sourire, d'autres, des larmes. Je tombai sur une note, datant du mois de mars de l'année précédente, qui me bouleversa.

À la fin de la journée, l'école faisait asseoir tous les enfants en cercle sur le sol pour leur lire une histoire ou bavarder. Au début, Fraser refusait de se mêler aux autres, préférant jouer seul, mais son attitude avait changé peu à peu. Le journal était parsemé de notes concernant sa participation au « cercle du soir », comme disait l'école.

Ce jour-là, les enfants avaient préparé des cadeaux pour la fête des Mères. Avec l'aide des maîtresses, Fraser avait fabriqué une carte, ornée d'une petite photo de moi. Au moment du cercle, les enfants parlèrent de ce qui rendait leur maman si chère à leur cœur.

J'imaginais les enfants racontant qu'ils aimaient que leur maman leur fasse des câlins, qu'elle leur cuise des gâteaux, qu'elle les borde le soir ou les console lorsqu'ils étaient tristes. Lorsque le tour de Fraser arriva, son message était aussi court que touchant :

— Maman m'a donné Billy, dit-il devant le groupe.

Cela en disait long. Je lui avais donné Billy. Et je m'en réjouis encore.

❧

Remerciements

J'ai de très nombreuses personnes à remercier, non seulement pour ce livre, mais aussi pour l'aide qu'elles m'ont apportée au cours de ces années difficiles.

Tout d'abord, Chris. Quand je repense au passé, j'ai du mal à croire à la réalité de tout ce que nous avons traversé. Pourtant, je n'en changerais pas un iota. Tu es mon univers, tu es fantastique.

Maman et papa, après cinquante ans de mariage, vous m'avez donné un exemple parfait et montré qu'à deux, on peut tout surmonter. Maman, tu m'as élevée en me disant que tout est possible, si on essaie assez fort, et tu avais raison.

Mirabel et John, même si les temps ont été difficiles, vous avez toujours répondu présents pour Fraser, et il adore les moments qu'il passe avec vous. J'ai la chance d'avoir côtoyé des personnes pleines de talent qui nous ont aidés à élever un enfant très particulier.

À la clinique de Ballater : Jayne Mackenzie, Dr Moira Collins et Dr Douglas Glass.

Au centre Raeden d'Aberdeen : le personnel et Dr A. Stephen.

À Stonehaven Child Development Team : Dr Ai Lin Lee, Dr Jane McCance, Linda Collyer, Marie O'Gorman, Kaye Cumming, Lindsey Kelly et Helen Singleton.

Orthopédiste : Lynne McEwan.

Psychologue scolaire : Elayne Steele et Stuart Bull.

À Rose Lodge Nursery, Ballater : mes remerciements chaleureux à toutes les dames qui ont pris soin de Fraser et l'ont aidé à s'intégrer à la classe. Vous avez rempli un rôle essentiel, et les mots ne suffiront pas à vous exprimer ma gratitude : Cath, Emma, Laura, Joanna et Charlotte.

À Crathie School : Lillian Field, Alison McCrory, Les Roberts, Susan Boyd, Duncan Woods et Maggie Skene, merci pour le merveilleux travail que vous avez accompli avec Fraser, pour vos idées originales qui m'ont aidée à la maison, et pour votre compréhension de ses besoins en matière d'éducation.

À Balmoral : je voudrais remercier le Resident Factor du domaine, Richard Gledson, pour son soutien permanent et sa compréhension face aux besoins changeants de Fraser et de notre famille.

L'écriture de ce livre a été une aventure que je n'aurais jamais crue possible. Je me dois de remercier tous ceux qui m'ont aidée.

À Aitken Alexander : une pensée particulière pour mon agent, Mary Pachnos, Sally Riley et tout le service des droits étrangers qui m'ont soutenue, qui ont assuré la promotion de ce livre et qui nous ont aidés, je l'espère, à faire un jour de « The Mary » une réalité (les personnes concernées comprendront).

À Hodder & Stoughton : j'ai beaucoup apprécié de travailler avec Rowena Webb, Emma Knight, Bea Long et Emily Robertson. Merci aussi à Ciara Foley pour son merveilleux travail d'édition sur mon texte.

Je considère Gary Jenkins comme un véritable ami. Merci d'avoir donné un sens à notre drame, d'avoir traité notre histoire avec dignité, merci pour ton empathie, merci d'avoir si bien compris Fraser (et moi) et surtout de m'avoir aidée à me débarrasser de mes fantômes. Tu es un roc.

Et finalement…

Merci à Cats Protection : en particulier Liz Robinson et tout le personnel de l'association. Liz a compris dès le début de quel compagnon nous avions besoin pour Fraser. Elle connaissait bien Billy et a aussitôt vu toute la magie qu'il pouvait nous offrir. Liz, j'espère que vous savez quel rôle important vous avez joué dans le développement de Fraser et dans la sérénité que vous avez apportée à notre famille. Merci d'avoir sauvé Billy et de nous l'avoir confié.

Et, enfin, mais non des moindres, merci à M. Billy Booth ! Que ferions-nous sans vous ? Vous êtes un magicien, un héros, un sauveur, et, par-dessus tout, le meilleur ami de Fraser.

Retrouvez-nous sur :

<www.facebook.com/FraserandBilly__>

Achevé d'imprimer par N.I.A.G.
en décembre 2015
pour le compte de France Loisirs, Paris

Numéro d'éditeur : 83346
Dépôt légal : septembre 2015
Imprimé en Italie